Todos los amigos juntos

Dirección de arte: Trini Vergara
Diseño: Daniela Coduto sobre maqueta de María Inés Linares
Ilustraciones: Muriel Frega
Traducción: Nora Escoms
Edición: Cristina Alemany
Colaboración editorial: Silvina Poch - Angélica Aguirre

Argentina: Demaría 4412 (C1425AEB), Buenos Aires
Tel./Fax: (54-11) 4778-9444 y rotativas • e-mail: editoras@libroregalo.com

México: Av. Tamaulipas 145, Colonia Hipódromo Condesa,
Delegación Cuauhtémoc, México D. F. (C.P. 06170)
Tel./Fax: (5255) 5220-6620/6621 • 01800-543-4995
e-mail: editoras@vergarariba.com.mx

ISBN 978-987-612-152-1

Impreso en Argentina por Mundial Impresos. Printed in Argentina

Hopkins, Cathy
Todos los amigos juntos. - 1a ed. - Ciudad Autónoma de
Buenos Aires : V&R, 2008.
120 p. ; 21x14 cm.

Traducido por: Nora Escoms
ISBN 978-987-612-152-1

1. Literatura Juvenil Inglesa. I. Escoms, Nora, trad. II. Título
CDD 823.928 3

CATHY HOPKINS

Todos los amigos juntos

V&R
EDITORAS

1
¡Al fin!

—**N**unca pensé que llegaría este día –dije, mirando lo que quedaba de mi dormitorio.

Estaba muy limpio y ordenado. Por lo general, siempre estaba lleno de cosas: ropa y zapatos que sobresalían del armario, posters de mis últimos ídolos disputándose el lugar en la pared, libros y revistas sobrecargando el diminuto estante que estaba encima del radiador, y las muñecas, los lápices y crayones de Emma tirados en el suelo. Ahora estaba casi todo empacado y sólo quedaban la cama litera, los cajones vacíos y los estantes desocupados.

–También iremos a ayudarte a acomodar tus cosas en tu nueva casa –dijo Becca, que había venido con Lia temprano esa mañana para darme una mano con las tareas de último momento.

–¿Cuándo se mudan? –preguntó Lia.

–Pasado mañana –respondí–. ¡No veo la hora! Al fiiiiiiin tendré un dormitorio para mí sola. No es que no quiera a Emma, claro que la quiero. Pero ¿compartir el cuarto con mi hermanita y tener dulces pegoteados en el cubrecama por el resto de mi vida? Me parece que no. Será genial decorarlo a mi gusto y… bueno, tener un poco de espacio para mí, para variar.

Becca y Lia son mis mejores amigas. Becca es mi amiga desde la escuela primaria, y Lia, desde el comienzo del noveno año, tiempo atrás, cuando vino de Londres a vivir aquí, en Cornwall. Las dos siempre han tenido habitación propia, de modo que no creo que sepan realmente lo que es compartir un dormitorio con una psicópata de seis años. Dormimos en el mismo cuarto desde que yo tenía nueve años, justo antes de la muerte de mamá, cuando todo cambió para siempre.

–¿Ya pensaste qué colores usarás en tu nueva habitación? –preguntó Becca, mientras se recogía su largo pelo. Tiene un cabello fabuloso, de un color increíble: como el de un setter irlandés, de un rojo brillante, a diferencia del mío, que es corto, oscuro y aburriiiido a menos que me lo rice.

–No sé qué hacer –respondí–. Quiero que ustedes vean la habitación antes de tomar una decisión. Además, Jen dijo que es buena idea pasar varias semanas en un lugar antes de decidir algo. Para ver cómo lo siente uno, ¿saben?

Jen es la novia de papá, que pronto será su esposa. Vivirá con nosotros en la nueva casa, y ella y papá van a casarse al final de las vacaciones de verano, o sea, en unas cuatro semanas.

–Mi mamá dice eso sobre las mascotas –comentó Lia–. Cuando compramos nuestro cerdo barrigón, dijo que viviéramos con él por un tiempo y que ya se nos ocurriría el nombre apropiado. Después descubrimos que era hembra, así que fue una suerte que no le hubiésemos puesto nombre antes.

Reí. El cerdo mascota de ellos se llama Lola. La bautizó así el papá de Lia. Decía que le recordaba a una de sus admiradoras, que solía perseguirlo con unos zapatos rosados de tacón alto. El papá de Lia es Zac Axford, famosa estrella de rock. La familia Axford es la más glamorosa de todo Cornwall. Viven en una casa inmensa, como un hotel, y tienen un parque del tamaño de un país pequeño. Sin embargo, Lia es absolutamente normal, al menos en lo que se refiere a su personalidad, aunque de aspecto es deslumbrante. Alta, delgada, de cabello rubio casi blanco y ojos azul-plateados. Es la fantasía de todos los chicos. Los he observado cuando la ven pasar. Es comiquísimo. Cuando la miran parece como si los ojos se les salieran de las órbitas y las lenguas se les cayeran al suelo. Pero ella no se da cuenta. Dice que parece un pato y que no tiene senos. Es curioso cómo nadie está conforme con su propio aspecto. Como Becca: ella también es muy bonita, pero se cree gorda cuando, en realidad, tiene curvas. Están locas. Las dos lucen fabulosas.

Becca se quedó pensativa un momento, mirando mi habitación.

–Será extraño que te mudes a otro lugar. Vives en esta casa desde que te conozco. Siempre venía aquí después de la escuela.

–Lo sé, pero oigan, ahora podrán venir a dormir a mi nueva casa sin tener que compartir una bolsa de dormir con alguna de las muñecas *Barbie* de Emma y sin un *Pequeño Pony* pegado a la oreja. Tiene cinco dormitorios: uno para papá y Jen, uno para Luke, uno para Joe, uno para Emma y uno para mí. Los chicos también están entusiasmados con tener un cuarto para cada uno; ellos estarán en el último piso. Incluso papá dijo que, una vez que estemos acomodados, quizá podamos tener un gatito. Será genial para todos.

Me alegraba que papá fuera a casarse con Jen. Ella me agradaba y nunca había tratado de portarse como nuestra nueva madre. Desde el comienzo dejó en claro que nunca nadie podría reemplazar a mamá. Jen trabaja como azafata y, hasta hace poco, volaba por todo el mundo. Pero, cuando nos mudemos, sólo hará vuelos nacionales para no estar lejos demasiado tiempo. Papá quería que renunciara a su trabajo y lo ayudara con el almacén, pero ella dijo que no, que estar juntos las veinticuatro horas del día es desastroso para una relación, mientras que la ausencia ablanda los corazones. Creo que ella es muy sabia y me alegro de que se mude con nosotros. Además de ser buena cocinera, hace reír a papá, y es genial verlo feliz y un poco más acicalado. Llegó un momento en que tuvo el pelo muy descuidado y largo, pero ahora se lo corta con regularidad, y con sus jeans y camisas nuevas, se lo ve medianamente decente para un adulto. Cuando mamá murió, pasó mucho tiempo triste y callado, y no se preocupaba por lucir bien. Era como si se le hubiera escapado toda la vida. Trataba de actuar como si estuviera bien, pero yo me daba cuenta de que no era así. Fue un golpe muy duro para él. Se dedicó de lleno a su trabajo y se mantenía ocupado todo el tiempo, pero creo que lo hacía principalmente para no tener que pensar demasiado en que mamá ya no estaba.

Yo tenía que ayudar mucho en la casa, dado que él pasaba tanto tiempo en el almacén. Ésa es otra razón por la que me alegra que Jen venga a vivir con nosotros: puede ayudar con algunas tareas del hogar. Luke tiene once años, Joe tiene nueve y Emma, casi siete. Eso significa una tonelada de ropa para lavar y de platos sucios, y montañas de comida que comprar y preparar. No sé qué les pasa últimamente a Joe y Luke, pero parece que lo único que hacen es comer. Pan tostado con mantequilla, patatas fritas, salchichas y pastas, pero no engordan ni un gramo. Siendo yo la mayor y como no tenemos mamá, tuve que ocuparme muchísimo de mis hermanos y del trabajo de la casa. Será genial poder hacer al fin la vida de una chica normal.

En ese momento, papá se asomó por la puerta.

–Hola, chicas –dijo–. Ya que en la cocina casi todo está empacado y que ustedes van a cenar y dormir en casa de Lia, voy a comprar pizza. Llevo conmigo a los chicos y a Em para que no te molesten, Cat. ¿De acuerdo?

–Está bien, papá. ¿Qué queda por hacer?

Papá se encogió de hombros.

–No estoy seguro. Podrías recorrer las habitaciones y hacer una lista; más tarde dividiremos las tareas que falten.

Cuando se fueron, tomé un papel y empecé a anotar.

Baño: empacar los últimos artículos de tocador. Limpiar. Guardar las toallas húmedas separadas de las secas.

Vestíbulo: no olvidar abrigos, chaquetas y botas de lluvia.

–Parece que está casi listo –observó Lia, mientras íbamos de habitación en habitación.

Becca asintió y rió al salir del cuarto de Luke y Joe.

–¡Epa! Creo que nunca vi esa habitación así; siempre parecía un sitio bombardeado. ¡Asombroso!

–Ey, no olvides las lámparas –me recordó Lia, señalando al cielorraso–. No querrán dejarlas.

Miré hacia donde había señalado.

–Ah, sí. Gracias, las habríamos olvidado por completo y... ¡OH!

–¿Qué? –preguntó Lia–. ¿Qué pasa?

Volví a señalar el cielorraso.

–Allá arriba. Todos lo olvidamos. ¡El estúpido altillo! Hay pilas de cosas allá. Ay, no. Justo cuando pensaba que casi habíamos terminado.

El rostro de Becca se iluminó.

–¡Oigan! Tal vez encontremos algún tesoro olvidado allá arriba –dijo–. En los libros pasa todo el tiempo...

–O algún cuadro fabuloso que valga una fortuna –sugirió Lia–, o alguna antigüedad que cueste millones; pueden llevarlos a uno de esos programas que hay en televisión, donde los tasan...

Reí.

–¡En nuestro altillo, no lo creo! Allí están todas las porquerías que fuimos acumulando con los años, así que no se entusiasmen demasiado. Les aseguro que lo único que encontraremos son bolsas de ropa vieja que deberíamos haber regalado, algunos equipos de campamento y, básicamente, cosas que nadie quería. Aun así, será mejor bajarlas. Dudo que el nuevo propietario quiera encontrar su nuevo altillo lleno de basura.

–¿Dónde está la escalera? –preguntó Becca–. Yo no pierdo las esperanzas. Tal vez no buscaron bien.

–Sí, claro –respondí. Tomé la escalera de mano, que estaba detrás de la puerta del cuarto de papá, y la coloqué en el vestíbulo, bajo la abertura del altillo–. Creo que hay una llave de luz arriba a la izquierda –dije, mientras Becca subía primero y entraba.

Luego subió Lia y, por último, yo.

Becca encendió la luz y el espacio se iluminó, revelando la cara interna del tejado, algunos cables viejos, vigas de madera en el piso y en los rincones bajo los aleros, pilas de cajas de cartón y bolsas.

Abrimos el primer grupo de cajas y, efectivamente, estaban llenas de cosas viejas: gafas protectoras, equipos de buceo, patas de rana, un viejo juego de *Monopoly*, libros, revistas, zapatos viejos... Hasta Becca empezó a perder el interés al cabo de un rato, al ver que allí no había nada que valiera la pena y ni rastros de antigüedades o cuadros valiosos, aunque sí había un bloc con algunos de mis primeros dibujos de la escuela primaria.

—Algún día valdrán una fortuna —dije, colocándome el bloc bajo el brazo, y empecé a bajar nuevamente la escalera.

Trabajamos una hora bajando las cajas y llevándolas al vestíbulo. Yo esperaba al pie de la escalera y Lia y Becca me alcanzaban las cosas desde arriba.

—La última —anunció Lia por fin—. Es sólo una bolsa de plástico. Creo que tiene bolsas de dormir. Cuidado, voy a soltarla.

Soltó la bolsa y ésta cayó a mi lado, sobre la alfombra, con un golpe sordo.

—Bien, ya bajo —dijo Lia—. Vamos, Bec. Espera un momento, Cat, Becca desapareció. ¿Bec? ¿Qué pasa?

Lia desapareció de la abertura del altillo. Oía movimientos y sus voces arriba, pero no entendía lo que decían.

—Lia, Becca, ¿todo bien ahí arriba? —pregunté, y empecé a subir la escalera una vez más.

De pronto, la cara de Becca apareció en la abertura. Estaba iluminada de entusiasmo.

—Cat, ven aquí. ¡Creo que encontramos algo!

2
Todos los amigos juntos

Se oyó la bocina de un auto frente a la casa. Lia fue a mirar por la ventana.

–Vienen a buscarnos –dijo–. Date prisa.

–Pero no encuentro mis pijamas –respondí, mientras hurgaba en una de las grandes bolsas plásticas donde había guardado mi ropa para la mudanza–. En realidad, no encuentro nada.

–No te preocupes, yo te presto lo que necesites –dijo Lia–, pero tenemos que irnos porque les dije a las chicas de Londres que las recogeríamos por el camino.

Becca se había ido a su casa media hora antes para buscar sus cosas y quedamos en encontrarnos en casa de Lia. Tomé mi cepillo de dientes del baño y, cinco minutos después, nos dirigíamos, al estilo de las estrellas de rock, en un elegante *BMW* negro, a recoger a nuestras nuevas amigas: TJ, Nesta, Izzie y Lucy. Siempre me entusiasmaba viajar en uno de los autos de los Axford, pues era muy diferente de mis viajes en la parte trasera de la camioneta de papá, con cajas llenas de latas de tomates, comida para gatos o botellas de agua. La camioneta olía a gasolina y botas viejas; el *BMW* olía a cuero, loción para después de afeitarse y dinero.

Me puse los anteojos de sol y le sonreí a Lia.

–Esto es vida –dije–. Creo que yo nací para vivir así.

Lia sonrió. Ella *sí* nació para vivir así.

Lucy, TJ, Nesta e Izzie nos esperaban al sol del atardecer frente al chalé de vacaciones que acababan de comprar los padres de TJ, donde ellas se alojaban. Cuando una avalancha de chicas lindas, perfumadas y con brillo en los labios irrumpió en el auto, el chofer de los Axford (que era un chico local de diecinueve años llamado Stuart) puso cara de estar en el paraíso. Izzie subió adelante (es la más alta), y Lucy, Nesta y TJ se apretaron con nosotras atrás.

–Colóquense los cinturones, chicas –dijo Stuart, y hubo otra conmoción mientras todas se retorcían en busca de los cinturones de seguridad y luego se los abrochaban.

–Excelente, fabuloso –dijo Nesta, simulando un tono de la alta sociedad, cuando volvimos a arrancar–. Bien, queridas, vamos al banquete en casa de los Axford.

–Sí, qué maravilla –respondió Lucy, imitando a su vez el mismo modo tonto de hablar–. Oh, cielos, ¿alguien puso a mis amados perritos atrás?

–Eso espero, querida –dijo Izzie, con la misma voz presumida–. Si no, tendremos carne de perro para la cena.

–Oh, no, otra vez no –exclamó Nesta–. La carne de perro es tan vulgar, especialmente cuando la sirven con pan blanco, y realmente no va con los pepinos.

TJ puso los ojos en blanco.

–Disculpen a mis locas amigas; están compitiendo para ver quién imita mejor a la Reina –explicó.

–Bueeeeeeeno –rió Lia, mientras Nesta saludaba a la gente que pasaba con un ademán típico de la realeza.

Hace muy poco que conocí a estas chicas, pero ya somos buenas amigas. TJ vino por primera vez para la Pascua pasada, y nos encontramos una tarde en la playa. Su papá estaba enfermo en aquel momento, y ella estaba llorando por eso. Lo más asombroso fue que estaba en *mi* lugar secreto para llorar. Es una zona de la Bahía de Cawsand que está oculta del resto de la playa, y allí voy cuando estoy muy asustada o extraño a mamá. Nos llevamos bien de inmediato, y lo más increíble fue que descubrimos que las dos habíamos estado saliendo con el hermano mayor de Lia, Ollie. Ninguna de las dos sabía de la otra, de modo que Ollie salió perdiendo, porque TJ y yo nos hicimos amigas y lo dejamos. El papá de TJ se mejoró y, tanto él como la mamá de TJ se enamoraron de la zona, compraron un chalé y las demás chicas vinieron para las vacaciones de verano.

Son un grupo fabuloso y nos llevamos de lo mejor, aunque tienen un año más que Lia, Bec y yo. Emanan sofisticación urbana. Nesta es absolutamente deslumbrante. Es hermosa, tiene cabello negro largo y un cuerpo perfecto. Creo que su mamá es jamaiquina y su papá es italiano, y por eso tiene ese aspecto tan exótico. Si no fuera tan buena y graciosa, creo que tendría que matarla. Izzie es la más alta de las cuatro y una de las chicas más interesantes que conozco. Sabe muchas cosas de las que yo nunca había oído hablar hasta que la conocí: cosas de la *New Age*, de cristales, brujería y astrología. Además, tiene un *piercing* en el ombligo, que le queda muy bien. Tanto TJ como Izzie tienen cabello oscuro, pero el de Izzie es más castaño y tiene unos ojos verdes increíbles. Lucy es menuda, rubia y muy divertida. Es la experta en moda y quiere ser diseñadora cuando termine la escuela. Es muuuuuy elegante y espero que algún día me aconseje, porque tenemos más o menos la misma estatura y ella sabe vestirse muy bien. TJ es, quizá, la más sensata de todas, pero no por mucho. Ella también puede ser bastante alocada, aunque, más que nada, es muy dulce.

—Bien, ¿qué tenemos en la agenda para esta noche, mis humildes damas de compañía? —preguntó Nesta.

—El papá de Becca traerá a Mac y Zoom además de Bec —respondió Lia—, así que supongo que lo de siempre: comer, beber y pasarla bien.

—Mac estuvo contándonos acerca de ese juego que tienen ustedes aquí —recordó Lucy—. *Verdad, consecuencia, beso o promesa. ¿*Podemos jugar a eso?

Lia y yo rezongamos: –Nooooooo –dije–. Ya estamos cansados de ese juego. Hagamos otra cosa.

–Por favooooor –suplicó Lucy–. Sólo una vez cada uno. Para ver cómo es. Vamos, será divertido...

–Tal vez no quieren revelar ningún secreto oscuro si les toca *verdad* –sugirió Izzie.

–No –respondí–, no es eso. Somos todos amigos.

–Pues entonces, hagámoslo –repuso Izzie–. Pronto volveremos a la escuela en Londres y no vamos a vernos por mucho tiempo...

–Yo, que soy la Reina, lo decreto –anunció Nesta con su tono real–. En este acto exijo por ley que todos mis súbditos jueguen a Verdad, consecuencia, beso o promesa, y quien trate de zafar será ejecutado, decapitado, y su cabeza se exhibirá en el parque con una flor en la boca. Así será. Amén. Y cúmplase, etc., etc.

Lia y yo reímos.

–Sí, Su Majestad –respondimos a coro–. No queremos morir, ¿verdad?

–No, siendo tan jóvenes –concordó Lia.

En el espejo, vi que a Stuart le estaba costando reprimir una carcajada. Habrá pensado que estábamos todas chifladas.

Apenas Mac y Zoom llegaron a casa de Lia, tuvieron que arrodillarse a los pies de Nesta para ser armados caballeros. Ya que la Reina Nesta no tenía una espada de verdad, usó un cucharón de sopa, que era lo que había más a mano. Ninguno de los dos puso objeciones, pues aunque los dos tienen dieciséis años y son mayores que todas nosotras, están subyugados por la belleza de Nesta. Al verlos tan calladitos, recordé el día que Lia llegó a nuestra escuela. Entonces también se quedaron prendados y estúpidos. Ella y Zoom están juntos desde hace mucho ya, y es obvio que están enamorados, pero a veces lo descubro mirándola como si no pudiera creer en su suerte. Yo sí puedo. Zoom es uno de los chicos más buenos del mundo. Lo sé porque lo conozco de casi toda la vida e incluso fuimos novios por un tiempo. Todos lo quieren. Y Lia es una de las chicas más buenas. Es muy dulce y considerada. Son una pareja ideal. Mac es el mejor amigo de Zoom. Él también es lindo, pero más menudo que Zoom, y es rubio mientras que Zoom tiene cabello oscuro, al menos la mayor parte del tiempo. Su mamá es la peluquera local y le gusta experimentar de vez en cuando y, por supuesto, siempre aprovecha a Zoom para probar estilos y colores. A él no le molesta. Es tan tranquilo que ella podría afeitarle la cabeza y él no haría más que encogerse de hombros y decir: "Sí, O.K.". Y seguramente le quedaría bien. Es esa clase de chico.

Después de armarlos caballeros, tuvimos una cena fabulosa de hamburguesas, patatas fritas y helado de chocolate con nueces, servida por Meena, el ama de llaves. La cocina es enorme, más grande que toda la planta baja de la casa que vamos a dejar. Y es maravillosamente luminosa, por los tragaluces en el cielorraso y los ventanales del piso al techo que dan a un inmenso patio embaldosado que ocupa toda la longitud de la casa.

Luego de una segunda porción de helado, tuvimos que ir a recuperarnos a la sala roja, llamada así porque está decorada principalmente en rojo: las paredes, las cortinas color vino tinto, aunque los muros son más bien de un color miel. Con los pisos de roble y las alfombras turcas, el efecto general es suntuoso, cálido y exótico.

—Nuestra sala de estar está decorada en estos tonos —comentó Nesta, al tiempo que se reclinaba como Cleopatra en uno de los sofás.

—Yo estuve tratando de convencer a papá y a Jen de tener una sala roja en nuestra nueva casa —dije–, pero no creo que a papá le interese tanto la decoración. Dice que, con cuatro hijos, ningún arreglo va a durar mucho.

—Bueno, al menos podrás decorar tu dormitorio como a ti te guste —señaló Lucy–. Eso es lo que yo trato de hacer. En el resto de la casa, pueden hacer lo que quieran (y créeme que mis dos hermanos lo hacen) pero mi cuarto es mi territorio privado. En la puerta, tengo un cartel que dice: *PROHIBIDA LA ENTRADA bajo pena de muerte*.

—¡Qué buena idea! Me voy a hacer uno igual —dije.

—Bien, ¿a qué tipo de cosas se desafían en ese juego de Verdad o consecuencia? —preguntó TJ, mientras nos acomodábamos en los sofás y almohadones de la sala.

—Bueno, a saltar del acantilado, a tirarnos en paracaídas de un avión —respondió Zoom—, nada raro.

Izzie quedó boquiabierta.

—¿En serio?

—No. Para nada —dijo Becca—. Hacemos cosas normales. Por ejemplo, a mí me desafiaron a entrar al concurso de Princesa Pop el año pasado, antes de Navidad. De no haber sido por ellos, no me habría atrevido.

Becca tiene una voz excelente y todos habíamos entrado al concurso con ella. Pero fue la única que logró algo, y salió tercera.

—Ah, y después hubo todos esos problemas con Lia —recordó Mac—. Le tocó *beso* y tuvo que besar al galán de la escuela, Jonno Appleton...

—Sí, pero a la matona de la escuela no le hizo mucha gracia —prosiguió Becca—, porque a ella le gustaba Jonno y, por un tiempo, le hizo la vida imposible a Lia.

Lia hizo una mueca y Zoom la rodeó con un brazo como para protegerla.

—No quiero oír hablar de imbéciles como él o ella.

—Y a mí, una vez me desafiaron a decir la verdad sobre algo —dije—, y me metí en todo un enredo de verdades y mentiras. Es decir, yo siempre me consideré una persona sincera. Pero en una semana conté unas quince mentiras, y me di cuenta de que era una súper mentirosa.

—¿Qué tipo de mentiras? —preguntó Izzie.

—Bueno, por ejemplo, mentir sobre mi edad para entrar al cine...

—Pero eso lo hacemos todos —dijeron a coro.

—¿Qué más? —preguntó Nesta.

—No querer herir los sentimientos de nadie, no reconocer que no había hecho la tarea para la escuela u ocultarle a papá que había visto películas de terror prohibidas para menores. No eran mentiras importantes, pero de todos modos me hicieron pensar. La semana siguiente decidí decir toda la verdad y casi pierdo a todos mis amigos por ser tan franca. Por ejemplo, si tu mejor amiga tiene un grano en la nariz y te pregunta si se nota mucho, ¿qué le dices? Que no, lo cual te convierte en una mentirosa, o que sí, y ella no vuelve a hablarte.

—Supongo que tiene que haber un término medio —opinó Lucy.

—Puede ser. Eso fue más o menos lo que decidí. Tal vez algunas mentiritas inocentes —respondí.

—Y ¿qué más? —preguntó Nesta—. Parece que han estado haciendo todo tipo de cosas por aquí.

Mac rió.

—Sí. Alguien debería escribir una colección de libros sobre eso. A mí me desafiaron a postularme para un trabajo como caricaturista, y fue bueno porque, igual que Becca, de otro modo no me habría atrevido a hacerlo.

—Y ¿lo conseguiste? —preguntó Izzie—. El trabajo.

Mac parecía contento de que se lo preguntara.

—Sí, de hecho, lo conseguí —respondió.

—Becca me dijo que eres un caricaturista genial —dijo Izzie—. Me encantaría ver algunos de tus trabajos antes de regresar a Londres.

Mac se puso más feliz todavía.

—Sí. Claro. Cuando quieras. Es decir… seguro, te los mostraré con mucho gusto.

Becca me miró con cara de saber algo. Esa misma tarde habíamos estado comentando que había cierta onda entre Izzie y Mac. Pero Becca pensaba que Mac necesitaba un poco de aliento, pues últimamente había tenido algunos traspiés en el amor, que habían mellado un poco su confianza.

–Ese juego parece bueno –dijo Izzie–. Por lo que cuentan, a todos los ayudó a sentir el miedo, pero hacerlo de todos modos.

Según Lucy, *Feel the Fear and Do It Anyway (Siente el miedo y hazlo de todos modos)* era uno de los libros preferidos de Izzie. Prometió prestármelo alguna vez, lo cual es genial, porque parece que Izzie conoce muchos libros buenos que ayudan a la gente a conseguir lo que quiere en la vida.

–Sí. Parece divertido –concordó Nesta–. ¿Y tú, Zoom?

–Lia y yo hemos elegido la opción de *promesa*, y prometimos decirnos la verdad y ser fieles. Cosas así –respondió Zoom.

–Ahhh –suspiraron todas las chicas.

Mac puso los ojos en blanco.

–Creo que voy a vomitar –dijo.

–Ey, Bec, ¿vas a contarles la verdad sobre la última vez que jugamos? –pregunté.

Becca se ruborizó, miró al piso y luego a Lucy.

–Fue cuando tú y tu familia llegaron aquí por primera vez, al comienzo de las vacaciones –respondió–. ¿Recuerdas que me acerqué a tu hermano, Lal, apenas pisó la playa y le di un beso?

–Sí. Lo dejaste muy contento. ¿Por qué? ¿Eso era un desafío?

Becca asintió.

–Es que yo venía hablando de que no quería saber más de muchachos, y los demás se negaron a aceptarlo, entonces Zoom dijo que tenía que darle un beso al primer chico que llegara a la playa.

Lucy echó a reír.

–Ya me preguntaba yo qué estaría pasando. Y mamá y papá, también. Recuerdo que papá dijo que las chicas de Cornwall le parecían muy directas. Lástima que no fue Steve, ¿eh?

–Bueno, al final di con el hermano indicado –repuso Becca.

Después del beso, Becca salió con Lal por un par de semanas, pero luego se cansó de él. Entonces conoció al otro hermano de Lucy, Steve, y le gustó mucho, pero no creía que llegara a pasar nada porque no quería herir los sentimientos de nadie. Por suerte, Lal se enganchó con una chica de aquí llamada Shazza, y Steve y Becca estuvieron juntos hasta que él regresó a Londres. Pero seguirán en contacto, y seguramente Steve y Lal van a volver pues a sus padres les encanta el lugar y ya hablaron de pasar otras vacaciones aquí.

–Bien, ya están al tanto de nuestras experiencias con Verdad o consecuencia –dije–. Ahora, ¿quién de ustedes quiere empezar?

–Yo –respondió Mac, antes de que nadie más pudiera decir nada–. Y desafío a Zoom...

–No –rezongó Zoom–. Mira, amigo, estamos jugando a esto por Izzie, Nesta, Lucy y TJ. Dejemos que prueben ellas.

–Eso haré –respondió Mac–, pero primero tienes que aceptar volver a subirte a tu bicicleta.

Por un momento, hubo un silencio incómodo. Zoom sufrió un accidente en mayo y se cayó de la bicicleta. Tuvo una pierna enyesada durante muchísimo tiempo y apenas hacía una semana que le habían quitado el yeso. Todos habíamos notado que no había vuelto a montar la bicicleta, pero hasta ahora nadie se había animado a decir nada.

–No es necesario –intervino Lia–. No tienes por qué volver a subirte a esa bicicleta.

Zoom respiró hondo.

–Sí. Es necesario. Volver a subirse al caballo, a la bicicleta... Sí. Lo haré.

–¿Cuándo? –insistió Mac.

Lucy rió.

–Vaya. Eres tan mandón como Nesta, y nos asustábamos de ella.

–Ey –protestó Nesta–, yo no soy mandona. Sólo sé qué es lo mejor para los demás.

–Exacto –concordó Mac–. Entonces, ¿cuándo, Zoom?

–Mañana. Lo haré mañana.

Sentí pena por Zoom. Por lo general, es el Sr. Intrépido, nunca teme intentar nada, pero el accidente lo había acobardado.

–Yo tengo algo que puede ayudarte –dijo Izzie–. Se llama Remedio de Rescate y, si lo tomas cuando necesitas un poco de seguridad, te ayuda mucho.

–¿Qué es? –le preguntó Becca–. ¿Un medicamento?

–En realidad, no. Está hecho de esencias florales descubiertas por el *Dr. Bach*, así que es completamente natural. Hay montones de remedios para todo tipo de sentimientos o emociones: angustia, tristeza, falta de confianza y esas cosas. La lista es interminable.

Una vez más, me asombró Izzie. Igual que Becca, yo nunca había oído hablar del *Dr. Bach*, pero me impresionó muy bien.

–Bueno, basta de brujerías –intervino Nesta–. ¿Quién sigue?

–Yo –respondió Izzie.

–De acuerdo –dijo Becca–. ¿Verdad, consecuencia, beso o promesa?

–*Beso* –eligió Izzie, y le dirigió a Mac una mirada muy provocativa.

–Bien –dijo Becca–. Tienes que darle un beso a Mac. Ahora mismo.

Izzie miró a Mac con una mezcla de desafío y provocación, mientras que Mac se puso rojo como una remolacha. No obstante, se puso de pie, cruzó la sala, tomó a Izzie de la mano y la ayudó a levantarse. Quedaron frente a frente… bueno, casi: en realidad, él era dos o tres centímetros más bajo que ella. Observé que Izzie flexionaba ligeramente las rodillas para quedar a la misma altura, y entonces se besaron… y se besaron… y se besaron…

–¡Bueeeeno! Esto se pone caliente –rió Zoom, y observamos a Mac e Izzie trabarse en un abrazo digno de un Oscar.

–Diez… nueve… ocho… siete… seis… cinco… cuatro… tres… dos… uno… –fue contando Lucy, y todos aplaudimos con cada número.

–Eh, ¿por qué no se van a un hotel? –dijeron a coro TJ y Nesta.

Mac e Izzie se separaron y nos miraron. Los dos parecían aturdidos, como si los hubiera golpeado un rayo o algo así. Cuando siguió el juego, Mac se quedó sentado junto a Izzie, sosteniendo su mano.

Después, Nesta eligió *promesa*, entonces le hicimos prometer que seguirá viniendo a Cornwall cuando sea famosa, y no me cabe duda de que algún día lo será. Ya tiene un aire de celebridad.

Lucy eligió *consecuencia* y tuvo que pararse sobre las manos y cantar "Dios salve a la Reina", lo cual hizo con gran estilo. Aparentemente, es algo que suele hacer en las fiestas en Londres.

TJ eligió *verdad*.

–¿Qué es lo más importante en tu vida? –le preguntó Nesta–. Y tienes que decirnos la verdad, toda la verdad y nada más que la verdad.

–Es fácil –respondió TJ–. Mis amigos. Sí, también mi familia y mi perro, Mojo... pero principalmente mis amigos.

–Ahhhh –exclamamos todas las chicas a coro.

–Qué sensibleras son, chicas –dijo Mac, y como respuesta recibió una andanada de almohadones que luego se convirtió en una guerra total.

Lucy era un adversario temible. Para ser tan menuda, daba buenos golpes.

–Eso es porque tengo hermanos –explicó, al tiempo que le asestaba un almohadón en la cabeza a Mac.

No fue sino hasta mucho más tarde, cuando las chicas nos estábamos acomodando en bolsas de dormir, que Becca se acordó de lo que habíamos encontrado en el altillo. Siempre me hace reír cuando nos quedamos a dormir en casa de los Axford, porque cada una podría tener una habitación propia, con su baño privado y televisor, pero aun así preferimos apiñarnos en un solo cuarto con bolsas de dormir, para estar todas juntas. Salvo Zoom y Mac, claro; ellos van a un cuarto de varones, porque el Sr. Axford dice que no quiere "cosas raras".

–Dime, Cat, ¿abriste esa caja después de que me fui? –preguntó Becca, acomodándose en el piso a mi lado.

–No –respondí–. Todavía no. No encontré la llave, pero tiene que estar en alguna parte.

–¿Qué caja? –preguntó Nesta.

–Hoy estuvimos limpiando el altillo y encontramos... bueno, en realidad no es una caja –expliqué–; es de metal, como una vieja caja de herramientas, pero más grande. Una especie de baúl de metal.

–Estaba detrás del tanque de agua –agregó Lia–, y parecía que nadie la había tocado en muchos años.

–Vaya, qué fantástico –dijo Izzie–. Un misterio.

–Sí. Fabuloso –agregó Nesta.

–¿Tienes idea de qué puede haber adentro? –preguntó TJ.

–No –respondí, aunque en secreto sí la tenía. Becca y Lia no se habían dado cuenta, pero yo sí, enseguida. Sobre un costado del baúl, había dos letras pintadas en rojo: *L.M.* Estaba segura de que L.M. significaba Laura Morgan. Morgan era el apellido de soltera de mi mamá. Su primer nombre era Laura. El baúl le había pertenecido. No tenía idea de lo que podía contener, pero sabía que cuando lo abriera (si lo hacía) quería estar sola.

–Cat. ¿Verdad, consecuencia, beso o promesa? –dijo Izzie.

–Eh... *promesa.*

–Bien. Tienes que prometer que nos contarás lo que hay en la caja apenas lo averigües. No soporto un misterio sin resolver.

–Claro –respondí. Pero nadie vio que tenía los dedos cruzados. Por lo que sabía, en esa caja podía haber cualquier cosa.

3
Que empiece la venta

–¿Esto es lo último? –preguntó Luke mientras le pasaba una bolsa negra del maletero del auto.

–Sí –respondí, y bajé para ayudar a papá a armar el puesto–. Ya podemos comenzar.

–Sí, acabemos con esto así puedo volver a mi *PlayStation* –acotó Joe–. Me revienta que papá nos trate como si fuéramos sus esclavos personales.

–Eh, te oí –dijo papá, que venía de la parte delantera de la camioneta–. Y ¿por qué no habría de tratarlos como a mis esclavos personales? ¿De qué sirve tener hijos si no van a ayudarte? Ahora, manos a la obra y hagamos un poco de dinero.

Se frotó las manos, alborotó el pelo de Joe y empezó a armar nuestro mostrador improvisado, que en realidad era una mesa cubierta por una sábana.

Era sábado por la tarde y, por suerte, el tiempo seguía bueno. Nuestra familia se había incorporado a la multitud que se congregaba en Maker Heights en uno de los mayores mercados informales de la zona. Teníamos una tonelada de objetos viejos para vender: juguetes, libros, revistas, una pila de las cosas que habíamos bajado del altillo, utensilios, ollas, herramientas de la cochera, de todo un poco. Jen había venido unos días antes y había revisado minuciosamente todo lo que se llevaría a la casa nueva. Se había horrorizado al ver el estado de la mayoría de los utensilios de cocina y había insistido en que nos deshiciéramos de la mayoría, en parte porque ella tenía juegos más modernos y elegantes, y en parte porque quería comprar cosas nuevas, que fueran de ella y de papá juntos, no de la vida pasada de él o de ella. "Debemos empezar de cero", dijo. "Un nuevo capítulo en la vida de todos nosotros". Papá, a quien le cuesta deshacerse de las cosas, había intervenido y sugerido que, en vez de tirar todo eso, lo vendiéramos.

Tal como ocurría en todos los acontecimientos que tenían lugar en la Península de Rame, estaba allí casi todo el pueblo, incluso mis amigas de Londres, que parecían muy impresionadas por la magnitud de aquello. Habría más de doscientos autos y camionetas aparcados, con puestos armados delante de ellos.

Izzie, Lucy, TJ y Nesta habían llegado temprano y ya habían recorrido el lugar. Habían comprado una variedad de CD, DVD y otras cosas viejas. Lucy estaba contentísima con algunas prendas que había encontrado en un puesto.

—Ya sé que los vestidos no son precisamente de última moda —dijo, mientras nos mostraba sus hallazgos—, pero las telas y los botones son muy valiosos. Hoy en día no se los consigue. Creo que son de los años cincuenta. Fabulosos. En Londres, cuestan una fortuna, porque todo el mundo busca estas cosas.

—Ya vimos todo por aquí, así que nos vamos a la playa de Whitsand —dijo Izzie—. ¿Quieres venir más tarde?

—Quizás —respondí—. Depende de cómo vaya esto. Tengo que atender el puesto: papá sólo puede quedarse una hora pues la chica que estaba cuidando el almacén se va a las doce.

—¿Y tus hermanos? ¿No pueden ayudarte? —preguntó TJ señalando a Luke, Joe y Emma, que se habían puesto algunas de las prendas viejas que íbamos a vender. Emma tenía un colador de pastas en la cabeza y llevaba una bata vieja de toalla que arrastraba por el suelo pues era demasiado grande para su cuerpecito. Joe tenía una cacerola en la cabeza y fingía ser un robot, y Luke tenía una de nuestras viejas máscaras de vampiro de Halloween y estaba asustando a todos los que se acercaban al puesto.

–Eh... mejor no –dijo Lucy–. Parecen tan útiles como mis hermanos para esta clase de cosas.

–Exacto –respondí–. No te preocupes; Mac y Zoom también vendrán más tarde.

Al oír mencionar a Mac, Izzie se puso alerta.

–¿Mac y Zoom?

Asentí.

–Lia y Becca se fueron a Plymouth, pero los chicos prometieron venir.

–Eh... tal vez podamos venir más tarde y darte una mano para levantar todo, ¿sí? –sugirió Izzie.

–Claro –respondí.

–Llámame al móvil –dijo Izzie.

–Sí, porque realmente quiere ayudarte –intervino Nesta–. No es porque Mac vaya a venir ni nada de eso...

Lucy le dio un ligero golpe en el brazo.

–Déjala en paz, Nesta. Es amor. No interfieras.

–No estaba interfiriendo –se defendió Nesta–. Simplemente aclaraba una obviedad.

–Lo cual es obvio –repuso Lucy, haciendo una seña de sellar sus labios–. Cállate.

–Hasta luego –dijeron las chicas, y se encaminaron colina abajo, sin dejar de discutir.

A poca distancia, Izzie se volvió y levantó su celular.

–Llámame –articuló, sin sonido.

Las primeras dos horas de la venta pasaron como un relámpago y vendimos casi las tres cuartas partes de lo que habíamos llevado, pero no sin tener que hacer grandes descuentos. Era asombroso. Algunas cosas estaban prácticamente regaladas, pero la gente seguía regateando para bajar el precio.

Vendimos rompecabezas, una lámpara sin pantalla, un tapete de baño medio desflecado, una tetera a la que le faltaba la tapa. Parecía que todo le servía a alguien. Joe y Emma no eran ninguna ayuda, pero Luke resultó ser un excelente vendedor y no cedía ante los ancianos que trataban de conseguir cualquier cosa gratis.

—¡Espera! ¡Joe, NO! —le grité, al ver que estaba a punto de sacar una bolsa de ropa que no era para vender. Yo la había separado en el vestíbulo de arriba antes de salir por la mañana y tenía pensado dejarla en la sala, junto con las otras bolsas que eran para llevar a la nueva casa. No había notado que la habían traído en el auto.

—¿Qué? —preguntó, levantando los brazos—. ¿Qué hice mal ahora?

—Nada —respondí, rescatando la bolsa—. Sólo que esto no se vende.

—Ah, perdóname por tratar de ayudar —replicó.

Tomé la bolsa y volví a guardarla en la camioneta, y luego le pegué una nota que decía: *¡¡No vender!!*

En la bolsa no había nada de gran valor, pero la ropa que contenía era preciosa para mí. Había sido de mamá, y yo la había tenido guardada en mi armario durante años. Luego de su muerte, papá la había separado con la idea de dársela a algún conocido o llevarla a una institución de caridad. Pero yo la había escondido. Seguramente papá sabía que yo la tenía, pero nunca dijo nada. Esa ropa era lo único que me quedaba de ella, además de algunas fotos en los álbumes y la caja de zapatos en la que guardaba algunos recuerdos: joyas viejas, un frasco vacío del perfume que le gustaba (*Mitsouko*, de *Guerlain*) y una carta que me había escrito cuando supo que estaba enferma y que quizá no se recuperaría. Le había pedido a papá que me la diera justo antes de que yo empezara la secundaria. Esa carta era uno de mis mayores tesoros. La había leído tantas veces que ya me la sabía de memoria.

Mi niña querida:
Ya estás tan grande y lista para empezar una nueva escuela, y cómo
quisiera poder estar allí para verte. Quise escribirte para decirte lo orgu-
llosa que estoy de ti. Me has dado muchas fuerzas durante este último
año y has sido la luz de mis días. Sé fuerte, Cat. Sé fiel a ti misma y siem-
pre tan valiente como sé que serás. Que Dios te bendiga. Mi amor siempre
te acompañará.
Tu mamá

Mi mamá. Sabía muy poco de ella. Quién era. Qué cosas la hacían reír
o llorar. No recordaba. A veces me preguntaba cómo había sido ella a mi
edad. ¿Se había enamorado o había algo que la incomodara o le diera
timidez? ¿Qué cosas le gustaba hacer? Me entristecía saber que nunca
podría preguntárselo.

—¿Quién tiene hambre? —preguntó papá, que venía cargado de comida de un puesto vecino. Empezó a repartirla—. Una rosquilla para Emma.
Sándwiches de tocino para los demás.

Joe y Luke tomaron los suyos y empezaron a comer con ganas. Yo
dejé el mío a un lado.

—¿No comes, Cat? —me preguntó papá.

Meneé la cabeza. De hecho, había decidido que quizá me haría vegetariana. Era otra de las cosas que me impresionaban de Izzie. Ella no
lo gritaba a los cuatro vientos ni trataba de persuadir a nadie ni de
hacernos sentir culpables por comer carne, pero yo había notado que
ella no la comía y, cuando se lo pregunté, dijo que no soportaba comer
nada que alguna vez hubiese tenido pulso y respirado. Yo nunca lo había
pensado pero, cuanto más lo hacía, más ganas tenía de ser vegetariana yo
también. Sin embargo, al percibir el aroma tentador del tocino, decidí
que quizá podría empezar después de la mudanza. Parte del nuevo
comienzo del que hablaba Jen.

—Eh… sí, gracias, papá —respondí, y empecé a comer con los demás.

Al cabo de un rato, empezó a menguar la cantidad de compradores ansiosos, los puestos quedaron más tranquilos y papá se fue al almacén.

–Ve a dar una vuelta, Cat –dijo Luke–. Podemos arreglarnos solos.

–Gracias, niño –le respondí.

–No soy un niño –replicó Luke–. Parece que te olvidas de que ya tengo doce años.

–Ooh, lo siento.

Luke se llevó las manos a los oídos y las agitó al tiempo que me sacaba la lengua.

–Sí. Muy adulto –dije, y yo también le saqué la lengua.

Por supuesto, Emma insistió en venir conmigo, y salimos juntas a recorrer los puestos. Fue asombroso ver todo lo que había en venta. Cualquier cosa que a uno se le ocurriera se vendía en algún lugar: utensilios de cocina, artículos de baño, cortinas desflecadas, sábanas, ropa, zapatos, juguetes gastados, DVD, LP, cuadros, adornos, regalos de Navidad que nadie quería, ¡y hasta botones viejos, tornillos, tuercas y repuestos de autos! Todos los aspectos de la vida de la gente estaban en exposición.

Al cabo de media hora, nos encaminamos de regreso a nuestro puesto. Desde cierta distancia, vi que habían llegado Mac y Zoom, de modo que rápidamente llamé a Izzie para avisarle.

–Ya estoy en camino –dijo–. En la playa había demasiado viento para mi gusto, así que dejé a las demás allá. Estaré contigo en un momento.

Al acercarme al puesto vi que, tal como habían hecho antes Joe y Luke, a Zoom y a Mac les había parecido buena idea ponerse algunas de las prendas que estaban en venta. Zoom se había puesto una falda y una blusa rosada, y Mac tenía un abrigo de mujer. Enseguida me di cuenta de qué ropa era aquélla. Era de mamá. De la bolsa que no había que vender. Y Mac estaba a punto de vender uno de esos vestidos a la Sra. McNelly, de la oficina de correos.

–¡Noooooooooooooooooooooooooo! –grité, corriendo hacia el puesto, y le quité el vestido de las manos–. No. No puede comprar eso.

La Sra. McNelly volvió a tomarlo.

–Yo lo vi primero. Espera tu turno.

Volví a quitárselo.

–Pero no puede.

–Escucha, Cat, la idea de estas ventas es precisamente vender –intervino Zoom.

–Pero estas cosas eran de mamá. No estaban en venta. De hecho, las guardé en la camioneta. ¿Quién las sacó? ¿Luke?

–Yo no sabía –dijo Luke y, por un momento, pareció que iba a llorar–. No sabía que eran de mamá. Nunca me lo dijiste. Pensé que eran cosas viejas de Jen.

Inmediatamente, la Sra. McNelly me devolvió el vestido.

–Lo siento, Cat, querida; claro que te lo devuelvo –dijo, y se alejó deprisa. Ella había conocido a mi mamá. Como todos los demás en el pueblo.

–¿Vendieron algo más? –pregunté.

Mac puso cara de culpable.

–Una chaqueta. De trama espigada. Hace un minuto.

Pensé que iba a echarme a llorar.

–Por favor, recupérala.

Mac se alejó a toda velocidad y, al hacerlo, casi derribó a Izzie, que venía hacia nosotros. La tomó de la mano.

–Misión Recuperación –le dijo, y la llevó con él.

Cuando se fueron, Zoom y Luke fueron muy compasivos y me ayudaron a doblar las otras cosas de mamá que habían sacado. Joe tenía una expresión extraña.

–¿Por qué no nos dijiste que eran de mamá? –me preguntó.

–Eh… No sé. Supongo que iba a hacerlo, en algún momento –respondí.

Joe se veía triste.

–No me acuerdo de ella –dijo, al cabo de un rato–. Ni siquiera puedo imaginar su cara.

Lo rodeé con un brazo, pero se encogió de hombros para que lo soltara y tomó una de las camisas de mamá. Él tenía apenas tres años cuando ella murió.

—Quiero irme a casa —dijo, y por un momento aparentó mucho menos de sus nueve años.

—Yo también —dijo Emma—. Esto es aburriiiiiiiiiido.

—Ya no falta mucho —respondí—. Pero creo que podríamos empezar a levantar todo.

Mac e Izzie regresaron como a los veinte minutos.

—Uf —dijo Mac—. Qué mujer difícil. La señora que compró la chaqueta no era de aquí y pensó que yo estaba inventando eso de que había sido de tu mamá muerta y... eh, perdóname, Cat, no quise decir...

—Lo sé —respondí, y tomé la chaqueta—. No te preocupes. Gracias.

—Nos costó cinco libras recuperarla —dijo Izzie.

—Y ella sólo había pagado tres —suspiró Mac—. Fíjate qué inflación.

—Te lo devolveré de nuestras ganancias —le dije.

Mientras doblaba la chaqueta para volver a guardarla con las demás cosas de mamá, sentí que había algo en el bolsillo. Di la vuelta hasta el costado de la camioneta para que nadie observara lo que hacía y metí la mano para ver qué era. Saqué una llave de metal. Parecía del tamaño exacto para abrir el baúl de mamá.

4
La gran mudanza

—Cat, ¿dónde está el café? –preguntó Jen desde la planta baja.

—En la caja que está en la cocina, la que dice *Para lustrar zapatos* –respondí.

Era domingo, día de la mudanza; la casa era un gran alboroto y yo había pasado toda la mañana buscando un rato a solas. Cerré la puerta de mi cuarto y volví al baúl de mamá. Lo había escondido debajo de la cama, cubierto por un par de mantas para que nadie viera que estaba allí. Pensaba mirarlo la noche anterior, al volver de despedirme de las chicas de Londres, que estaban preparándose para su regreso a casa; sin embargo, como tuve que ocuparme de los embalajes de último momento y papá había insistido en que Emma se acostara temprano, no había tenido tiempo a solas en nuestro cuarto.

Por fin, se había presentado un momento por la mañana, cuando todos estaban abajo. Saqué el baúl y me arrodillé en el piso. Sabía que debería hablar de eso con papá, porque allí podría haber cosas privadas de mamá. Y sabía que, en algún momento, debería decírselo a Luke, Joe y Emma. Y lo haría. Sólo quería unos momentos para estar sola con lo que había encontrado. Contuve el aliento y probé la llave en la cerradura. ¡Bingo! Coincidía. Estaba a punto de girarla cuando hubo otro grito desde abajo.

—¡CAAAAAAT! ¿Dónde están las tazas? ¿Están todas empacadas? –preguntó Jen.

–Sí. Están en la caja que dice *Ollas y cacerolas.*

–¿Y el azúcar?

–En la caja que dice *Vajilla.*

Oí pasos que subían la escalera, de modo que rápidamente volví a empujar el baúl debajo de la cama y me puse de pie justo cuando Jen entraba. Estaba vestida con jeans y una vieja camisa roja y tenía cara de frustración.

–Francamente –dijo, al tiempo que se soltaba el largo pelo rubio, lo sacudía y luego volvía a recogerlo en una cola–, tu sistema de embalaje parece un código secreto.

–Yo sé dónde está todo –repuse, y me posicioné de manera que mis piernas quedaron delante de las camas para que Jen no viera el baúl de mamá.

–Bueno, gracias a Dios que alguien lo sabe –dijo, y se puso a abrir los cajones y el armario–. ¿Ya sacaste todo de aquí?

Asentí y traté de llevarla hacia la puerta.

–Todo está abajo. Sólo falta empacar unas sábanas. Y luego papá tiene que desarmar las camas para subirlas al camión, y después, ¡al fin!, volver a armarlas en los nuevos dormitorios, pero como dos camas *separadas.*

Jen me rodeó con un brazo y me estrechó con afecto.

–Ya era hora de que tuvieras tu propia habitación, Cat. ¿Ya pensaste cómo vas a decorarla?

–Cambio de idea todos los días.

–A mí me pasa lo mismo con la boda...

–¡Qué! ¿No estás segura de casarte con papá?

Jen rió.

–*No.* No sobre casarme con él. De eso, nada me va a disuadir. No, me refería a lo que voy a ponerme. A terminar con las flores, los detalles de la fiesta. Dios mío, sólo pensar en eso me da pánico. Casi no he hecho nada y, apenas nos demos cuenta, tendremos la fecha encima. Estuve tan ocupada planificando la mudanza que todo lo demás pasó a un segundo plano.

–Mi amiga Lucy es diseñadora de ropa –le dije–. Y tiene un gusto fabuloso. Cuando vayamos a ver los vestidos, ¿podría venir con nosotras?

–Seguro –respondió Jen–. Eso sería bueno, pues tendremos que decidirlo todo en un solo viaje.

Habíamos acordado tiempo atrás que iríamos a Londres a comprar el vestido de Jen, los zapatos y lo que hiciera falta, pues allá hay mucha más variedad que en las tiendas locales. Además, compraríamos mi ropa de dama de honor. Emma ya tenía la suya; la había conseguido en Plymouth la semana anterior, cuando fue de compras con Jen. Era una locura, pero muy al estilo de Emma: un disfraz de hada de un tono rosado vivo, con alitas plateadas y corona. Le quedaba hermoso y quería tenerlo puesto todo el tiempo, pero Jen le dijo que no hasta el gran día.

Ojalá yo también hubiera encontrado algo en Plymouth, pues no me entusiasmaba demasiado la idea de ir a Londres. Por un lado estaba feliz de ir, pues es la Gran Ciudad, pero por otro, sentía aprensión por lo que había pasado allí en los últimos años. Yo había tratado de hablarlo con papá, pero me dijo que no fuera ridícula y que no debemos ceder a las amenazas terroristas. Probablemente tenía razón. Sería divertido ir a Londres; TJ ya había dicho que podía alojarme en su casa y además, si había tiempo, podría encontrarme con Jamie. Es amigo del hermano de Lia, Ollie, y es el chico con quien me enganché cuando fuimos a Marruecos hace poco. La Sra. Axford cumplía cuarenta años y el Sr. Axford nos invitó a pasar el fin de semana. Para mí, fue el viaje de mi vida, porque nunca había subido a un avión ni había ido más allá de Londres; además, nos alojamos en un lugar increíble. Disfruté de cada segundo de ese viaje, y fue más especial aún por haberlo compartido con Jamie. Ollie no estaba muy contento, porque pensaba que tenía derechos sobre mí sólo porque habíamos salido algunas veces, cuando él venía de su escuela en Londres. Sin embargo, algunas semanas antes de viajar, me enteré de que en Londres también había estado saliendo con TJ. Ninguna sabía nada de la otra hasta que nos conocimos. El caso fue que, después de eso, ya no sentí que le debiera nada. Sin duda, es uno de los chicos más apuestos que conozco y también puede ser divertido, pero es un Casanova. Yo siempre supe que no me convenía apegarme a él emocionalmente, o acabaría con el corazón roto. Jamie, en cambio, era un dulce. De acuerdo, no era tan buen mozo como Ollie, pero era lindo a su manera y me hacía reír. Después del viaje, siguió escribiéndome por correo electrónico con regularidad, y en cada e-mail me decía que quería volver a verme. Ésa era una de las cosas que me agradaban de él. Decía directamente lo que sentía. No andaba con juegos ni trataba de disimular.

Jen miró por la ventana y luego echó un vistazo a su reloj.

–Cielos. Ya llegó el camión de la mudanza. Dios mío. Aquí vamos. Ven, Cat, mejor baja y ayúdanos a cargar las cosas.

Pasamos el resto de la mañana llevando maletas, cajas y bolsas al camión. Papá y uno de sus amigos del pueblo ayudaron a los hombres de la mudanza a cargar los muebles y las cosas más pesadas, y pronto estuvo lista la primera tanda.

–Bien, Cat –dijo papá, cerrando las puertas traseras del camión–. Luke y Joe vendrán conmigo para ayudar a descargar las cosas. Emma va con Jen en el auto de ella para empezar a acomodar la nueva cocina, entonces tú quédate aquí, da un último vistazo y, lo que falte llevar, lo pones en el vestíbulo. No levantes nada muy pesado. Yo volveré en un par de horas para llevar las camas y lo que aún quede aquí.

Observé alejarse el camión, seguido por Jen y Emma (que llevaba su corona de dama de honor) en el auto.

Cuando el auto desapareció doblando la esquina, volví a entrar, cerré la puerta de calle detrás de mí y me pareció que en la casa había un silencio espeluznante. Fui de habitación en habitación. Era extraño verlas tan vacías: las alfombras enrolladas, las paredes desnudas. Deseé que papá me hubiese dejado al menos una radio, para llenar un poco el silencio.

Una vez que terminé de revisar la planta baja, volví a subir y empecé a doblar la ropa de todas las camas y a ponerla en grandes bolsas negras para basura. Cuando todo estuvo empacado, no quedaba más que hacer que abrir el baúl. Era el momento ideal –no había nadie cerca, ninguna distracción– y, sin embargo, me encontré vacilante. Entré a lo que había sido el dormitorio de mamá y papá, para echar un último vistazo. Aún podía ver a mamá en la cama, en los meses anteriores a su partida. Ella siempre había intentado mantenerse alegre pero, a medida que pasaba el tiempo, me di cuenta del esfuerzo que le costaba. Crucé la habitación y miré por la ventana hacia el jardín. Recordé momentos más felices, cuando ella estaba bien: jugando con Joe en una piscina infantil, mojándolo con la manguera. Trayendo un pastel de cumpleaños con velitas para Luke; y para mí, en mi cumpleaños. La recordaba en la cocina, preparando infinitas comidas para nosotros. Su especialidad era el pastel de carne, y hacía un excelente postre de manzanas. Pensé en Emma. Ella no tendría ninguno de esos recuerdos, pues era apenas un bebé cuando mamá murió. No es de extrañar que adore a Jen y la siga a todos lados como un cachorrito fiel. Pero Jen *no es* su mamá.

De pronto, me invadió una sensación de pánico. No debíamos dejar esa casa. Estaba mal. Allí había vivido mamá, como parte de nuestra familia. Si nos íbamos, esos recuerdos ya borrosos desaparecerían para siempre. Como una pintura bajo la lluvia: la imagen se desintegraría en ríos de color, y luego se borraría y quedaría sólo la tela en blanco. Sentí que se me cerraba la garganta por la emoción y se me llenaban los ojos de lágrimas. Tenía miedo de olvidar a mi mamá en la casa nueva. En el siguiente capítulo, del cual ella no participaba. Mirando a mi alrededor en aquella habitación que una vez había estado tan llena de sus objetos, su ropa, su presencia, su aroma, no vi más que silencio y un espacio vacío, y traté de evocar más recuerdos de ella. Momentos pasados que pudiera llevar conmigo al futuro... pero no pude. Ni siquiera recordaba ya el sonido de su voz.

En ese momento, el timbre del teléfono rompió el silencio. Corrí abajo a atender.

–Hola –dijo la voz de Lucy–. Sólo llamaba para desearte buena suerte con la mudanza.

–Ah… gracias.

–¿Estás bien, Cat? –preguntó Lucy–. Pareces… no sé…

–Sí, estoy bien… más o menos… bueno, no tanto…

–Sabía que algo te pasaba. Me di cuenta por tu voz. Vamos, cuéntale a la tía Lucy.

–No es nada. Sólo que todos se fueron a la casa nueva y yo me quedé a terminar de ordenar aquí, y me resulta raro estar en este lugar vacío, y empecé a preguntarme si hacemos bien en mudarnos, pues aquí vivió mi mamá… Y, bueno, está ese baúl… ya sabes, el de mamá, y encontré la llave, pero no logro decidirme a abrirlo.

–¿Por qué no?

–Puede haber cosas que yo no debería ver. Cosas privadas. No sé.

Parecía una tontería al expresarlo en voz alta.

–Ah, pero nos prometiste contarnos lo que había adentro –me recordó Lucy–. ¿Te acuerdas de nuestro juego de Verdad o consecuencia?

–Lo sé. Lo haré. Alguna vez… pero todavía no.

–Sólo ve y hazlo, Cat. Haz lo que siempre dice Izzie: siente el miedo, pero hazlo de todos modos. ¿Qué tienes que perder? No vas a encontrar un cadáver.

–Ah, muchas gracias –reí–. Como si no me asustara estar aquí, en la casa vacía.

–Sólo ve y hazlo –repitió Lucy–, y más tarde te llamaré para asegurarme de que lo hayas hecho.

–Y yo que pensaba que la mandona era Nesta –dije.

–Y lo es –repuso Lucy–. Tienes suerte de que no te haya llamado ella. Pero, en serio, todo irá bien. Como a mí, por ejemplo; fíjate que hacía muchísimo que me aterraba que llegara esta semana. No quería pensar en ello. Era la semana en que mi novio, Tony (ya sabes, el hermano de Nesta), tendría los resultados de sus exámenes finales. Es muy inteligente y le ofrecieron entrar a Oxford si obtenía buenas notas. Yo sabía que así sería; todos lo sabíamos, y la semana pasada recibió los resultados. Todas notas excelentes, de modo que se irá en octubre. Un nuevo comienzo. Los dos iremos por caminos separados...

—Ay, Lucy, cuánto lo siento. Yo estoy hablándote de lo mío cuando tú debes de estar angustiada.

—En realidad, estoy bien. Sabía que esto llegaría y probablemente es bueno que él se vaya. Nos volvemos locos el uno al otro y también a los demás, con los altibajos de nuestra relación.

—Pero Oxford no está lejos. Podrás seguir viéndolo.

—Claro que sí. Y vendrá a casa para las vacaciones... pero decidimos que no queremos compromisos; no haremos promesas que sabemos que no vamos a cumplir. Es decir, lo último que quiero es ser una carga para él. No. Pero sí hicimos un pacto. Si al llegar a los treinta años seguimos sin pareja, volveremos a juntarnos.

—¡A los treinta! Pero para eso falta un millón de años. Podría pasar cualquier cosa.

—Exacto. Será divertido. Y ¿sabes qué? Me siento bien. Tengo que dejarlo ir. Y con ese pacto, no parece realmente algo definitivo, ¿me entiendes? Lo veré en las vacaciones, sí, incluso quizá me entere de que se enamoró, pero siempre puedo decirme: ¡ah, todavía nos quedan los treinta!

—Él es mayor que tú; entonces ¿será cuando él cumpla treinta o tú?

—Él —respondió Lucy.

—Vaya. Eso me parece genial. Parece el comienzo de una película.

—Sí —concordó Lucy—. Excitante, ¿no? Como tú dijiste, podría pasar cualquier cosa, de modo que hay que sentir el miedo, pero hacerlo de todos modos.

–Pero, y a los otros chicos ¿cómo les fue? –le pregunté, pues sabía que el novio de Nesta, William; el de TJ, Luke; y el hermano de Lucy, Steve, también habían dado sus exámenes finales.

–A todos les fue bien. William irá a la universidad en Londres, de modo que Nesta está muy contenta. Luke va a estudiar arte dramático y también estará en Londres, así que TJ también está conforme. Steve va a estudiar en Bristol, o sea que va a mudarse. Cuántos cambios, ¿no?

–Eso creo –dije, y tomé nota mentalmente de avisarle a Becca acerca de Steve, por si aún no lo sabía. Igual que Jamie y yo, se mantienen en contacto por e-mail. Bristol no está tan lejos de donde vivimos, de modo que quizá podrían continuar su relación.

Después de colgar el teléfono, tomé aliento y miré escaleras arriba. Siente el miedo pero hazlo de todos modos, había dicho Lucy. Sé valiente, había dicho mamá en la carta que me había dejado. Sé valiente siempre.

Entonces volví a subir la escalera, entré a mi cuarto, saqué el baúl de debajo de la cama, puse la llave en la cerradura y lo abrí.

De inmediato, percibí un dulce aroma a madera. *Yo conozco ese aroma*, pensé. *Es patchouli*. Sabía exactamente lo que era, porque Izzie lo usaba y me había contado que era un aceite esencial que se usa en aromaterapia y que se extrae de la corteza de un árbol. Qué extraño que mamá lo hubiera conocido. Miré dentro del baúl y, lentamente y con cuidado, empecé a sacar lo que había. Pedazos de papel, artículos recortados de diarios y revistas, y un álbum de fotos que abrí enseguida. Apenas podía creer lo que veía. Yo creía conocer todas las fotografías que teníamos de mamá, pero aquí había muchas más. Páginas que reflejaban su vida. Mamá cuando era una niñita, de la mano de su madre. En bicicleta, como a los siete años. Mamá adolescente, con distintos peinados: pelo largo, corto, abultado. Vestida con hombreras. Una foto de ella con toga, recibiendo un diploma, y otra de papá, joven y apuesto. Los dos apretados en una cabina telefónica, poniendo caras tontas. Y una en una cama de hospital, sosteniendo a un bebé, con los ojos brillantes. Yo, recién nacida. Perdí la noción del tiempo, sentada en el suelo, revisando los tesoros que había en aquel baúl. Además del álbum de fotos, había una pequeña jabonera que contenía el aceite de aroma tan intenso. Había tres frasquitos rotulados *sándalo, patchouli* y *jazmín*. Un par de diapositivas de alguien que yo no conocía. Un hombre de pie en una playa, de espaldas a la cámara. ¡Estaba desnudo! ¿Quién era?, me pregunté. No era papá. Él no es tan alto. Tal vez un antiguo novio, anterior a papá. Había recuerdos de mi infancia, horribles garabatos que yo había pintado y firmado: Cat Kennedy. Otros, de Luke. Ella los había guardado todos. Un par de tarjetas del Día de la Madre. Tarjetas de San Valentín de papá. Un diminuto cisne de cristal. Un par de estampillas de aspecto oriental. La letra de una canción de Bob Dylan. Una carpeta que parecía estar llena de resúmenes bancarios y facturas de servicios.

En el fondo del baúl había un libro con una cerradura dorada, pero no estaba cerrado. Abrí la tapa y en la primera página, dibujada en tinta verde, había una calavera con las tibias cruzadas y las palabras: *PRO-PIEDAD PRIVADA*. Y luego una fecha. Hice las cuentas deprisa. Casi veinte años atrás. Increíble. Era un diario de cuando mamá era adolescente. Propiedad privada. *Yo no debería estar leyendo esto*, pensé, y me llamó la atención otra carpeta. Dejé el diario a un lado y abrí la carpeta. Estaba llena de fotos y anotaciones, como si mamá hubiese estado trabajando en un proyecto o un ensayo. Miré las fotos: algunas eran de paisajes y cielos exóticos. Y volvía a aparecer mamá, esta vez ya una mujer joven. Antes de papá, creo. Estaba bronceada, con el cabello iluminado por el sol, sonriendo a la cámara. Otra de ella en un aeropuerto, con una mochila al hombro. Dios mío. Era Marrakech. Vi el nombre del aeropuerto en la foto, en segundo plano. De modo que mamá también había estado en Marruecos. *Tal vez hasta fuimos a los mismos lugares*, pensé, y empecé a leer sus notas. Asombroso.

Estaba tan absorta que no oí los pasos que subían la escalera.

—Cat, ¿dónde estás? —llamó papá.

Demasiado tarde para guardar todo, y las mantas con las que había cubierto el baúl ya estaban empacadas. Papá irrumpió en la habitación y pareció sorprendido de encontrarme arrodillada en el suelo. Pero más lo sorprendió verme rodeada de fotos de mamá, sus cartas y papeles.

—No sabía que mamá había estado en Marruecos —le dije. Se puso pálido y se arrodilló a mi lado para mirar conmigo lo que quedaba de su esposa. Mi mamá.

5
La casa del horror

—Tus amigas ya llegaron —me dijo Jen apenas papá y yo estacionamos frente a la nueva casa. Señaló hacia adentro con el pulgar–. Becca y Lia están en la cocina.

Estaba a punto de entrar a toda prisa cuando una segunda camioneta paró detrás de nosotros.

—¿Número catorce? –preguntó el conductor, mirando a papá.

Papá estaba perplejo.

—Sí –respondió–. Pero la camioneta que contratamos ya se fue. ¿Seguro que tiene la dirección correcta?

—En el remitente dice: "Nº 14" –repuso el hombre al tiempo que bajaba, abría la puerta trasera de la camioneta y sacaba un enorme ramo de rosas blancas. Vio a Jen en la puerta y se las llevó.

Ella echó un vistazo a papá y se le encendieron las mejillas de placer.

—Gracias –dijo, mientras buscaba la tarjeta, y Becca y Lia aparecieron desde el interior y se asombraron al ver las flores. Jen miró a papá–. No tenías por qué molestarte.

Papá parecía a punto de entrar en pánico.

—Pero no fui yo –me susurró–. Cielos…

—¡Ah! No son para mí –dijo Jen, con una leve risita, al leer la tarjeta, y me entregó el ramo–. Cat, son para ti.

—¡Para mí!

–Vaya –exclamó Becca–. ¿De quién son? Habrán costado una fortuna.
Tomé la tarjeta de manos de Jen y la leí.

Para Cat.
Es la primera vez que compro flores para una chica. Rosas blancas
para decir que eres especial. Te deseo muchos momentos felices en tu
nueva casa.
Cariños,
Jamie

–Son de Jamie –anuncié.
–Ah, qué dulce –dijo Lia–. Y tan típico de él. Es muy considerado.
–Qué desperdicio de dinero –exclamó Luke al pasar–. ¿Qué vas a hacer
con ellas? No puedes comerlas.
Me conmovió tanto que traté de llamar a Jamie a su celular de inmediato, pero me atendió el contestador. Nunca nadie me había regalado
flores, y era un ramo deslumbrante. Me invadió una sensación cálida
que me hizo sentir muy bien después de la mañana melancólica en la
casa vieja. Las flores eran un buen augurio. Ese nuevo capítulo iba a ser
positivo.

Dejé a papá balbuceando una disculpa a Jen por no haber pensado en
comprarle flores para darle la bienvenida, y ella trataba de tranquilizarlo
diciéndole que no importaba, aunque creo que estaba decepcionada de
que las flores no fueran para ella. De pronto, papá la levantó en brazos.

–Entonces, mejor te cargo para cruzar el umbral, ¿no? –dijo, y ella rió
mientras subían los escalones–. Ah… diab… ayyyyy –papá se tambaleó
hacia atrás, emitió un quejido y dejó caer a Jen en el césped–. Ay… mi
espalda.

No podía enderezarse y entró al vestíbulo encorvado como un anciano;
allí extendió una mano hasta la baranda de la escalera y gimió de dolor.
Jen se incorporó de un salto y lo siguió.

—¿Estás bien? —le preguntó.

Papá emitió un quejido, y ella lo condujo a la cocina y lo hizo sentarse.

—Hmm —dije, con una sonrisa—. Interesante comienzo.

—¡Interesante comienzo! —exclamó Lia—. ¿No estás preocupada por él?

—Se pondrá bien. Siempre se le traba la espalda cuando levanta cosas pesadas. No es que Jen sea tan pesada, pero de todos modos, él sabe que no debería hacer estas cosas. Tiene unos ejercicios que hace para acomodar la espalda. Vengan, vamos a ver la casa.

Becca y Lia miraron a mi papá, luego a mí, y se encogieron de hombros. Les habré parecido poco compasiva, pero yo sabía que no era nada serio. A papá le había pasado eso cientos de veces cargando cosas para el almacén, y sabíamos que no le gustaba que nos preocupáramos mucho.

Estaba ansiosa por dar una buena recorrida a la casa, pues sólo la había visto una vez (bajo la mirada atenta del agente de bienes raíces) y no tenía una impresión completa del lugar. Era una casa semiadosada y creo haber oído decir a papá que se construyó en los años cincuenta. En el frente había un jardín pequeño y un sendero que llevaba al porche y a la entrada. En la planta baja había una sala grande que iba desde el frente hasta los ventanales del fondo. Creo que originalmente habían sido dos habitaciones, pero alguien había derribado la pared para que quedara una sola, mucho más espaciosa. A la izquierda, había una cocina-comedor bien ventilada, y afuera, un jardín largo y angosto con cerezos y manzanos en el fondo.

—¿Se encuentra bien, Sr. Kennedy? —preguntó Lia cuando entramos a la cocina, donde Jen estaba buscando analgésicos en las cajas que faltaba desempacar mientras papá gemía acostado sobre la mesa. Débilmente le respondió levantando el pulgar mientras yo ponía mis flores en agua.

—¿Ya vieron mi habitación? —pregunté a las chicas, y cuando menearon la cabeza, las llevé arriba.

Mi dormitorio era fabuloso. Igual que el resto de la casa, era luminoso y amplio, con un ropero empotrado. Sabía exactamente dónde pondría la cama: contra la pared junto a la ventana, para sentarme allí, a veces, a mirar el jardín y los campos más allá.

–Superhiperultrafabuloso –dije, imaginando cómo iba a quedar y la sensación de espacio que tendría allí. En la casa anterior, yo dormía en la cama de arriba y, si me sentaba en ella, casi me daba la cabeza contra el techo–. No puedo creerlo. Es perfecto. Todo este lugar es fabuloso.

En ese momento, se oyó un golpe y luego un quejido en el pasillo. Corrimos a ver qué había pasado.

–Socorro... *Socorro* –gimió una voz de niño.

Parecía la voz de Joe.

–¿Joe? ¿Eres tú? ¿Dónde estás? –preguntó Becca.

–Aquí arriba.

–Arriba ¿dónde? –pregunté, levantando la vista.

Becca y Lia lanzaron una carcajada, pues justo en el medio del cielorraso, en el punto exacto donde debería colgar una lamparilla, estaba la pierna izquierda de Joe. Había atravesado el cielorraso.

–Joe, ¿qué pasó? –le pregunté.

–Me caí de una de las vigas –respondió–. Ayúdame antes de que pase el resto de mi cuerpo.

–Hmm, ¿estás buscando un empleo como lámpara? –le preguntó Becca.

–No es gracioso –rezongó Joe–. Estoy atorado.

–Voy a buscar a papá –le dije, y empecé a dirigirme hacia la escalera.

–¡No! –exclamó Joe desde arriba–. Va a matarme.

Corrimos al segundo piso y entramos al dormitorio de Joe, pero no lo vimos.

–¿Dónde estás? ¿Qué pasó?

–Aquí adentro –respondió Joe–. Estoy en el falso altillo.

—Ahí —dijo Becca, señalando una puertita que había en la pared a nuestra derecha, y fue a arrodillarse junto a ella. Lia y yo la seguimos y, efectivamente, la puerta, que nos llegaba hasta las rodillas, conducía a una parte del techo. En el espacio entre dos vigas estaba Joe, con cara de desdichado.

—Estaba mirando y haciendo equilibrio sobre una de las vigas —gimoteó— cuando resbalé y mi pierna atravesó el cielorraso.

—Es sólo yeso —le dije—. No se puede caminar ahí.

—Bah, ya lo sé —rezongó Joe—. Al menos, ahora lo sé. Vamos, ayúdenme, sáquenme de aquí.

—Yo lo saco —dijo Becca. Se escurrió por la puerta y, con suavidad, jaló hacia arriba, lo ayudó a volver a la viga y luego a la habitación. Joe tenía las mejillas mojadas por las lágrimas y me dio mucha pena verlo así.

—Bueno, ya pasó —le dije—. Tranquilo. Ya estás a salvo. ¿Tenías miedo de caerte?

—Sí... y... pero... arruiné la casa nueva, y apenas llevo aquí cinco minutos. Papá me odiará y pensará que soy estúpido y...

Lo abracé y lo dejé sollozar un momento. Querido Joe. Siempre trata de hacerse el recio, tan decidido a crecer rápido, pero en ocasiones como ésta, se revelaba su vulnerabilidad detrás de su bravuconería.

—Bueno. Todo estará bien —le dije—. No se lo diremos a papá hoy y lo más probable es que no se dé cuenta por varias semanas, si es que alguna vez llega a notarlo. Es decir, ¿quién mira para arriba cuando va por el pasillo? Quédate tranquilo. Podemos pedirle a Zoom que lo arregle. Él es muy hábil para las reparaciones.

—¿Te parece? —preguntó Joe, con un sollozo.

—Sí. Quedará perfecto. No te preocupes. Todo va a salir bien —le aseguré.

No podía estar más equivocada. Durante el resto del día, todo lo que podía salir mal, salió mal.

Papá, que ya se había recuperado de su espalda trabada, estaba clavando algo en la cocina y dio contra un caño de agua en la pared. Empezó a salir agua a chorros… justo en el momento en que pasaba Emma, a quien no le gustó en absoluto la ducha inesperada. Entonces tuvimos que llamar a un fontanero de emergencia, lo cual no le gustó a papá por el gasto extra.

Las camas llegaron desmanteladas, pero nadie encontraba la bolsa con las herramientas, por lo cual papá no podía armarlas.

Y Emma, correteando y saltando en la sala, tropezó con el cable del teléfono y lo arrancó de la pared, con lo cual quedamos sin tono de llamada. Cuando llamamos por celular para pedir que fuera alguien, dijeron que no habría un técnico disponible hasta el martes.

Se acabaron los buenos augurios, pensé, preguntándome qué más podía salir mal.

Durante un par de horas, todo transcurrió en paz, mientras vaciábamos sin cesar cajas y bolsas y empezábamos a guardar las cosas.

Papá fue al pueblo a comprar pescado con patatas fritas para la cena, llevar a Becca y Lia a sus casas y pedir prestada una caja de herramientas para armar las camas.

Mientras tanto, empezaba a oscurecer y, después del ajetreo del día, yo estaba ansiosa por irme a dormir a mi nueva habitación. Sin embargo, sin que los demás lo supiéramos, Luke estaba arriba tratando de conectar la computadora y la impresora y, de alguna manera, se las ingenió para hacer saltar todos los fusibles. Desde luego, al ser una casa nueva, a nadie se le había ocurrido mirar dónde estaba la caja de los fusibles, y la situación fue de mal en peor mientras la buscábamos a tientas en la oscuridad. No era fácil hacer eso sin luz… y sin velas, porque nadie sabía en qué caja estaban guardadas. Por suerte, yo recordé que tenía en uno de mis bolsos una de las hermosas velas aromáticas que había comprado en Marruecos, y Joe encontró una linterna pequeña en su mochila, de modo que nos reunimos todos en la sala para decidir qué haríamos.

Entonces llegó papá con la comida. Lo tomó con mucha calma y nos hizo sentar a todos a la mesa de la cocina con mi vela en el medio. Pero tuvimos que comer del papel con los dedos, pues nadie sabía tampoco dónde estaban los platos y los cubiertos.

–Esto está muy bien –dijo–. Nuestra primera cena en la casa nueva. Estamos abrigados. Tenemos comida. Lo demás, lo resolveremos por la mañana.

–Pero ¿dónde van a dormir los niños? –preguntó Jen–. Nosotros tenemos nuestra cama, pero las demás están desarmadas.

–Podemos dormir en el suelo –propuso Joe, que aún estaba preocupado por recibir una reprimenda cuando se descubriera el agujero en el cielorraso–. Será como estar de campamento, pero puertas adentro.

–Ése es mi muchacho –dijo papá.

–Pero estoy aburrida –rezongó Emma–. Quiero mirar la tele, y… no me gusta la oscuridad.

Yo estaba por inclinarme para traerla a sentarse en mi regazo, cuando ella se levantó y fue hacia Jen.

–Podemos contar cuentos –propuso Jen, abrazando a Emma–. O cantar canciones.

–No quiero –replicó Emma–. Tengo miedo.

–Sí, esta casa puede estar encantada –dijo Joe–. ¡Buuuuuuuuu! Seguro que en este mismo instante hay fantasmas mirando por la ventana, observándonos, esperando…

–Basta, Joe –le dijo papá.

–Sí –dijo Luke–. Fantasmas a los que les gusta comerse a las niñitas…

–¡Luke! –exclamó papá.

Emma, que se asusta con facilidad, miró hacia la ventana oscura con carita de terror.

–Esta casa podría estar encantada –gimoteó–. No podemos quedarnos aquí.

–No está encantada –le dijo Jen–. Te lo prometo.

–Cat, corre las cortinas –me pidió papá.

Me levanté para cumplir su orden. Pero no había cortinas.

–Eh… hay un problemita, papá –dije, y todos lanzaron una carcajada al darse cuenta.

Este nuevo comienzo no parece tan fabuloso, pensé, mientras volvía a mi lugar en la mesa con los demás. Sin luz. Sin teléfono. Sin cortinas. Sin electricidad, y nadie sabe dónde está nada.

Entonces me dio un ataque de risa.

–Nuevo capítulo, ¿eh, Jen?

–Ah –respondió–. Bueno, eso es lo que tienen los nuevos capítulos: nadie sabe bien qué pasará…

6
La cruda realidad

La puerta de la iglesia se abrió. Alguien dejó salir palomas blancas de adentro de una cesta y soltó cincuenta globos blancos. Cien invitados se volvieron hacia mí cuando empezaba a sonar una orquesta de violines. Todo el mundo exclamaba "oooh" y "aaah" mientras yo avanzaba hacia el altar, seguida por Becca y Lia como mis damas de honor. En el altar, con una rosa blanca en la mano, me esperaba Jamie. Cuando llegué hasta él, me sonrió mirándome a los ojos y se inclinó para darme un be...

—¿De quién son estas botas que están en el suelo? —preguntó Jen desde la planta baja—. Y ¿*quién* dejó esta camiseta en la baranda de la escalera en vez de ponerla en la cesta de la ropa para lavar?

Mi sueño romántico con Jamie acabó de desintegrarse con el sonido de un portazo abajo y pasos que subían la escalera. Me levanté de la cama y, al salir al pasillo, encontré a Luke con la camiseta en cuestión en la mano. Estaba a punto de entrar al baño y, al verme, puso los ojos en blanco.

—Francamente —dijo, arrojando la camiseta a la cesta de la ropa sucia—, ¡por qué no se calmará! Ni siquiera es época de clases.

—Es sólo que no está acostumbrada a nosotros —le expliqué, aunque yo también me había sentido como Luke en los últimos días, desde la mudanza. Vivir con Jen era como si se hubiese mudado con nosotros una maestra muy estricta. Haz esto, no hagas aquello. Hasta ahora, siempre se había quedado en casa alguna que otra noche y, a veces, un fin de semana. Nunca había vivido permanentemente con nosotros, de modo que no habíamos tenido una verdadera impresión de cómo era.

Por un lado, la vida en la nueva casa empezaba a normalizarse: recuperamos la electricidad, desempacamos las cosas y las guardamos, y empezó a restablecerse nuestra rutina diaria. Por otro lado, poco a poco se hacía evidente que a Jen le gustaba que las cosas se hicieran de cierta manera. La suya.

–Estás bromeando, ¿no? –la oí decir mientras bajaba la escalera–. No pensarás poner eso en mi sala.

–Eh... *nuestra* sala –la corrigió papá.

–Eso quise decir. Lo siento, perdona –dijo Jen, justo cuando yo entraba, y la vi bajar un cuadro de un paisaje que habíamos tenido en la otra casa desde siempre–. Es que... bueno, es horrible.

–¿Te parece? A mí me gustaba –respondió papá–. Pero ya sabes que yo no entiendo nada de arte. ¿Qué te parece a ti, Cat?

A mí tampoco me había gustado nunca esa pintura, pero me daba la impresión de que había cada vez más cosas de Jen y menos nuestras.

–Eh... no sé –respondí–. Les parecerá un poco cursi, pero sería bueno tener algunas cosas que nos recordaran la casa vieja.

–¿De dónde la sacaron? –preguntó Jen–. ¿De una tienda de baratijas?

–Eh... fue un regalo de bodas, creo –respondió papá–. De Dora, la tía de Laura.

De inmediato, Jen pareció avergonzada.

–¿Un regalo de bodas? ¡Ah! En ese caso... Yo nunca te pediría que te deshicieras de nada que tuviera valor sentimental, que hubiera pertenecido a tu esposa. Lo sabes, ¿verdad? Dios mío, me siento una insensible.

Papá la rodeó con un brazo.

–Ahora que lo pienso, a Laura tampoco le gustaba ese cuadro, pero siempre le preocupaba que apareciera Dora y exigiera saber dónde estaba. Dora también murió ya, de modo que, si te parece tan feo, nos desharemos de él.

Hmm, esto se pone interesante, pensé, entrando a la cocina. Yo había estado en el apartamento de Jen en Plymouth antes de que lo vendiera. Era bonito, pero resultaba obvio que ella prefería un estilo de decoración muy distinto del de papá. El estilo de Jen era limpio, sencillo y moderno. El de papá, si es que se lo podía llamar estilo, era un ambiente cómodo pero desordenado. Nuestros muebles eran un desastre, con las patas salidas y vueltas a pegar, superficies rayadas, sillas viejas con el tapizado desgarrado, objetos que nadie más quería. Era extraño porque, hasta que vi nuestras cosas en la pila que decía "para tirar", no me había dado cuenta de cuánto me había apegado a ellas. Eran como viejas amigas, más "viejas" que amigas. *Bueno*, pensé, mientras tomaba una rebanada de pan de la mesa de la cocina y luego me dirigía a mi cuarto, *los dejaré que sigan con eso*. Tal vez todos deberíamos seguir adelante y, mientras Jen no empezara a decirme qué hacer en mi habitación y no se pusiera a husmear en el baúl de mamá que había encontrado, no me importaba.

Yo había escondido el baúl debajo de mi cama y, aunque papá sabía que estaba allí, parecía aliviado de haberme delegado esa responsabilidad. Supuse que sería difícil para él que apareciera algo tan personal de mamá en un momento así, cuando estaba a punto de casarse con otra mujer. Traté de que me hablara del tema, pero debí saber que no sería fácil; la manera de papá de manejar las emociones difíciles o dolorosas consistía en cerrarse a ellas y simular que no existían. Como el día que me había encontrado en la casa vieja revisando el baúl. Yo había pensado que le interesaría, pero apenas le echó un vistazo. Tal vez aún le resultaba doloroso, incluso después de seis años. Traté de entenderlo y de respetar su manera de hacer las cosas, pero no pude evitar preguntarme si, en el fondo, no se sentiría como yo, culpable de seguir adelante y dejar atrás a mamá.

Luke y Joe habían llevado a Emma al pueblo, de modo que yo sabía que disponía de un momento a solas para mirar el diario que estaba en el baúl. Me moría por examinarlo mejor, aunque al encontrarlo había sentido que no debería estar mirándolo. Sin embargo, con el correr de los días, mi curiosidad había empezado a ser más fuerte que yo. *Qué extraño cómo resultaron las cosas*, pensé, al tiempo que sacaba el diario y me sentaba en la cama a leerlo. Debería haber sido ella quien encontrara mi diario y se sintiera una intrusa, y no al revés.

Lo abrí y empecé a leer... y leer...

–Y ¿cómo siguen los tortolitos? –me preguntó Becca más tarde, cuando nos encontramos en la Bahía de Kingsand para tomar un helado.

–¿Quiénes? ¿Jamie y yo? –le pregunté, mientras compraba dos conos de vainilla e íbamos a sentarnos en el banco que daba a la bahía–. Parece que lo veré pronto; al menos, eso espero.

–En realidad, me refería a tu papá y a Jen, pero primero lo primero. ¿Cómo es que verás a Jamie?

–Jen me dijo que puedo quedarme un día más con TJ cuando terminemos de hacer las compras para la boda, y volver en tren, así que voy a verlo entonces. Aún no pude decirle nada, aunque lo llamé varias veces, pero siempre me atiende el contestador, tanto en el celular como en su casa. Además le envié un mensaje de texto con la esperanza de que lo viera. Espero que se alegre de verme y que no haya perdido el interés.

–¿Por qué habría de perderlo, tonta? De ser así, no te habría enviado las flores.

–Supongo. Sólo desearía que se comunicara.

–Podrías darle una sorpresa –sugirió Becca–. Averigua por medio de Ollie dónde podría estar, en un café o algún lugar donde le guste ir, y luego pasa por allí como por casualidad. Se volverá loco y le encantará verte.

–Qué buena idea –dije–. A Jamie le gustan las sorpresas, pero Ollie no querrá decirme dónde está. Sigue molesto porque lo dejé por Jamie.

–Entonces lo averiguaré yo.

–¿Tú? ¿Cómo?

Becca me guiñó un ojo con aire cómplice.

–Fácil. Le preguntaré a Lia.

–Qué bien –respondí.

–Y ¿cómo están los otros tortolitos? ¿Los viejos? ¿Tu papá y Jen? ¿Son felices en su nuevo nido de amor?

–Ah, ellos... –Mientras comíamos los helados, le conté a Becca cuál era la situación–. Son como polos opuestos, y espero que no se peleen justo antes de casarse. Me han hecho pensar que quizá no sea buena idea vivir con alguien antes de la boda, porque entonces el otro conoce todos tus hábitos fastidiosos, tus cambios de humor y todo eso. Si no has convivido, el otro puede pensar que eres de lo mejor y siempre estás de buen humor y fabulosa. Como Jen, que siempre estaba inmaculada, pero ahora la he visto por la mañana, con el cabello despeinado y sin maquillaje, y enojada. Si a mí me ha sorprendido así, imagínate a papá.

–Ni se dará cuenta –repuso Becca–. Está enamorado.

–Ya no estoy tan segura. Papá es muy madrugador, se levanta temprano y con mucha energía. Jen es más bien nocturna y nos dijo a todos que no le hablemos antes de las diez, hasta después de que haya tomado como mínimo dos tazas de café. A él le gusta escuchar la radio por la mañana. Ella la apaga apenas baja. A ella le gusta el silencio hasta la noche, y entonces se pone sociable y quiere invitar a todo el mundo. Tiene millones de amigos. Han estado viniendo a montones a ver la casa. Papá, como sabes, no tiene amigos. Entre atender el almacén y cuidarnos a los cuatro, nunca tuvo tiempo. A Jen le gusta la casa llena de gente; cuanta más, mejor. Por la noche, papá está cansado y quiere tranquilidad. Y ella detesta que fume. Papá tiene que ir al jardín cuando quiere fumar un cigarrillo. No creo que él supiera en absoluto en qué se estaba metiendo. Que Dios los ayude si llegan al altar.

–Bah –dijo Becca–. Los polos opuestos se atraen.

–Puede ser. Pero en ese caso, con más razón, no deberían pasar demasiado tiempo juntos. De hecho, no entiendo la necesidad de vivir juntos. Últimamente he estado pensando mucho en el matrimonio, ahora que se acerca la boda de papá y Jen, y empiezo a pensar que quizá nunca me case. Es decir, sí, me gustarían el vestido, la ceremonia, los regalos y todo eso, pero tener que vivir con alguien... ¿Para qué? Si puedes elegir, ¿para qué hacerlo? Hace tantos años que tengo que compartir la habitación con Emma, además del armario y las camas, y *por fin* tengo mi propio cuarto con mis propios cajones y ropero, ¿por qué querría volver a compartirlos? Y, si te casas, tienes que compartir la cama. ¿Por qué? A mí me parece una locura, si puedes comprar dos. Si alguna vez me caso (y creo que hoy he decidido que quizá nunca lo haga), insistiré en tener camas separadas, o habitaciones separadas, hasta casas separadas. Podríamos vivir en casas contiguas.

Becca rió.

—Eres toda una romántica. ¿No es obvio por qué la gente quiere compartir una habitación y la cama?

—No.

—Para besarse, tonta. Y desnudarse y todo eso... ya sabes.

—Sí, bueno, pero eso se podría hacer en cualquier parte. ¿Por qué no hacerlo, y luego darse el gusto de tener un espacio propio sin nadie que te quite lugar en la cama? A mí me encanta tener ahora mi propia cama. Rocié las sábanas con perfume y Jen me dio unas fundas para almohadas de encaje muy bonitas. Si algún chico se acostara allí con los pies olorosos y me las ensuciara, temo que tendría que echarlo.

Becca puso los ojos en blanco.

—¡Que Dios ayude a quien se case contigo! ¿Cómo lo están tomando los varones?

—No les gusta que les digan qué hacer. Ya sé que yo solía mandonearlos, pero a mí podían responderme. Con Jen, sienten que no pueden. Y en lo que respecta a la tele, creo que tendremos unas cuantas batallas antes del fin de semana. A papá le gustan los documentales. A Jen, las telenovelas. A los chicos, las películas de aventuras y ciencia ficción. Emma quiere ver sus *cartoons*. Y a mí, cuando puedo ver algo, me gustan la MTV y las comedias románticas. Otra razón para no casarse. Si eres soltera, tú tienes el control remoto. Para mí, eso sería como estar en el cielo: una noche mirando lo que yo quiero ver en la tele.

—Siempre puedes venir a mi casa, si eso es todo lo que quieres —dijo Becca—. Podemos mirar la tele en mi cuarto, o ir a casa de Lia...

—Y mirar un televisor distinto cada diez minutos —la interrumpí.

Becca rió. En en hogar de los Axford, había unos quince televisores. Uno en cada habitación de huéspedes, y otros repartidos por toda la casa.

—Pero Emma —prosiguió Becca—. Seguro que a ella le encanta tener a Jen.

Asentí. Me sentía rara en ese aspecto y aún seguía dándome vueltas en la cabeza. Era como si me hubiesen quitado del medio, de mi papel de madre sustituta, y aunque, en cierto modo, eso era precisamente lo que yo quería, ahora sentía que ya no me necesitaban. Estaba acostumbrada a que Emma corriera a mí cuando quería un abrazo o tenía algo que contar. Ahora era siempre Jen, Jen, Jen. Ella no era nuestra madre. Pero, por otro lado, Emma no había conocido a nuestra madre. Tal vez ni siquiera la recordaba.

—Aunque, sinceramente —suspiré—, no es exactamente como yo lo había imaginado. Pensé que Jen y yo seríamos como amigas, pero ahora no estoy tan segura. Es decir, está todo bien, sólo que... supongo que llevará tiempo acostumbrarnos.

Becca asintió.

—A mí también.

Le apreté el brazo con afecto. Becca había pasado por un momento difícil pues sus padres acababan de separarse. Si bien seguirían siendo amigos y su papá no se mudaría lejos, yo sabía que Becca también estaba atravesando un reacomodamiento.

—Es curioso, ¿verdad? —le dije—. Tú estás acostumbrándote a tener una persona menos. Nosotros, a tener una más.

Becca asintió.

–¿Crees que va a ser así, la vida? ¿Siempre con tantos cambios? ¿Nada sigue como era?

–Sí –respondí, y luego arrojé mi cono vacío por encima del muro, de donde de inmediato lo recogió una gaviota–. Salvo el helado, que siempre será rico. Eso no cambia.

7
Londres

—Nunca voy a encontrar nada —suspiró Jen, después de probarse el centésimo vestido de boda—. Estoy agotada.

No era la única. Nos habíamos levantado al amanecer. Papá nos había llevado hasta Plymouth y habíamos tomado el tren de las seis hasta la estación Paddington de Londres. Desde entonces, habíamos recorrido todas las grandes tiendas de las calles Oxford, Regent y Knightsbridge, y aunque habíamos visto un par de vestidos que le quedaban bien, como dijo Jen: "¿Quién quiere lucir *bien* el día de su boda? Yo quiero estar *sensacional*".

Era divertido estar en la gran ciudad y ver tanta gente, visitar tiendas, aunque aún no lograba disfrutarlo del todo porque sentía miedo de que pasara algo malo. Pero no quería ser una aguafiestas, especialmente después de haber leído las notas y el diario de mi mamá. Parecía que ella había sido temeraria, había viajado por todo el Lejano Oriente, la India y África antes de casarse, y me daba la impresión de que deseaba ser escritora de viajes. No quería decepcionarla siendo yo una asustadiza que hasta tenía miedo de subir al metro cuando ella había escalado montañas, cruzado desiertos, tomado aviones a países remotos y entrado a territorios ignotos sin pensarlo dos veces. Me gustaba pensar que yo había heredado algo de su espíritu aventurero.

—Es hora de encontrarnos con Lucy en Notting Hill —dije, mirando el reloj—. Ella conoce una excelente tienda para novias allí.

—Eso espero —respondió Jen, al tiempo que extendía la mano hacia el tránsito—. Tomemos un taxi. Los pies me están matando.

Pronto, un chofer de taxi nos vio y se detuvo junto a la acera.

—A Notting Hill —le indicó Jen, cuando subimos.

Por dentro, suspiré con alivio.

—Qué bueno —dije, mientras el chofer arrancaba—. No me gusta tomar el metro.

—Demasiada gente, ¿eh? —preguntó Jen—. Puede ser abrumador si no estás acostumbrada.

—En parte, sí —respondí—, pero además... —no estaba segura de seguir explicándolo, por si parecía una tontería.

—Además ¿qué, Cat?

—Por las bombas —admití—. ¿Te acuerdas de lo que pasó hace un tiempo, cuando esos terroristas...?

De inmediato, Jen me rodeó con un brazo.

—Pero Cat, ¿por qué no me lo dijiste?

—Pensé que te parecería una actitud infantil.

—Nunca —dijo Jen—. ¿Cómo crees que se sienten todos los que trabajan en las aerolíneas, volando por todo el mundo? Créeme, todos hemos tenido nuestros momentos de inseguridad. Hay días en que miro a todos los pasajeros con ojos suspicaces y pienso que pueden ser terroristas, hasta las abuelitas. Y no sólo en el avión. A veces me pasa lo mismo en los autobuses, en el metro, los trenes, en cualquier situación en la que haya mucha gente. Ése es el problema. Ya no sabemos qué aspecto tiene el enemigo ni cuándo va a atacar.

—Lo sé. Y hace un rato, en el metro, yo estuve haciendo lo que tú dices —comenté—. Todo el mundo me parecía sospechoso y mi imaginación se desató. Y ¿cómo lo manejas tú?

—Siento el miedo, pero lo hago de todos modos.

—Ésa es la filosofía de mi amiga Izzie —observé.

—Bien por ella. La vida continúa. Hay que seguir adelante.

–Eso dijo papá.

–Ya lo creo –respondió Jen–. Y tiene razón. Por un lado, el terrorismo es una amenaza muy real, pero por otro, no podemos rendirnos y dejar de hacer nuestras cosas. Yo trato de tomarlo con filosofía y digo: si es mi hora, es mi hora, ya sea que esté en el metro, o que me dé un infarto o...

–O cáncer, como tuvo mamá.

Jen asintió.

–¡Dios, qué conversación deprimente, para tan bello día de verano!

–Supongo que sí –dije–, aunque en realidad es bueno hablar con alguien de estas cosas: con papá, es imposible. Él se guarda todo y se cierra cuando alguien aborda un tema difícil.

Jen puso los ojos en blanco.

–Dímelo a mí –concordó.

–Cuando mamá murió, pensé mucho en la muerte. Sé que es inevitable. Todos nacemos y morimos, sólo que no sabemos cuándo. Aunque yo creo que preferiría morir en mi cama, durmiendo, cuando sea una viejecita, en lugar de explotar por culpa de un loco.

–Yo también –concordó Jen–. Pero en realidad, Cat, millones de personas viajan todos los días en el metro y en las aerolíneas y no les pasa absolutamente nada. La probabilidad de que te pase algo es muy remota. Claro que no quiere decir que no pueda ocurrir, pero no es probable que así sea. No lo sé. Es extraño, ¿no? Como le pasó a mi prima segunda, Josie. Estaba de vacaciones en Tailandia en 2004 cuando ocurrió el tsunami. Gracias a Dios, ella no estaba cerca de la playa en ese momento y no le pasó nada, pero cualquiera habría pensado que no había lugar más seguro que ése, ¿no? Playa blanca. Mar turquesa. Un paraíso. Hasta que vino esa ola gigantesca y borró a miles de personas.

–Y todos los terremotos. ¡Es un milagro que sobrevivamos!

Jen sonrió con tristeza.

–Lo sé. Tal vez lo sea. Hay tanto que no sabemos o no entendemos, ya sean actos del hombre o de Dios. Pero, mientras tanto, creo que hay que disfrutar la vida al máximo. Como dijiste, nadie sabe cuándo le llegará su hora, así que hay que aprovechar la vida todo lo que podamos. Diviértete. A la gente que amas, díselo. Todo eso... y no te deprimas por las malas noticias.

La abracé.

–Estoy de acuerdo... y gracias. Es muy fácil hablar contigo.

–Cuando quieras –respondió Jen, y me abrazó a su vez.

Mientras íbamos por las calles de Londres rumbo a Notting Hill, me sentí mucho mejor estando allí; además, otra vez me acerqué a Jen, como si se hubiera borrado la locura de los últimos días y hubiésemos vuelto a ser amigas.

Miré por la ventanilla del taxi a la multitud de gente que iba de aquí para allá. *Míranos a todos*, pensé. Tanta gente, de diferentes formas, tamaños y colores, todos con sus propias historias, esperanzas, metas y decepciones. Y a pesar de toda nuestra tecnología y sofisticación del siglo veintiuno, no sabemos mucho sobre el significado de la vida. Pero Jen tiene razón. Debemos apreciar lo que tenemos mientras lo tenemos. Al menos, yo debería hacer eso. Decidí por dentro aprovechar mi vida al máximo y no perder tiempo poniéndome de mal humor, deprimiéndome o enojándome con mis amigos o mi familia.

Lucy e Izzie nos esperaban en el lugar acordado, frente a la estación del metro, y escucharon comprensivamente mientras Jen les contaba, desesperada, que no había encontrado un vestido.

Lucy asintió.

–Lo sé, demasiado recargados. No favorecen a nadie, ni siquiera a las delgadas como tú. Lo que buscas es algo sencillo, elegante, de buen corte.

–Exacto –dijo Jen–. Pero ¿podemos encontrar algo así?

–Creo que tengo justo el lugar que buscas –dijo Lucy–. Yo vengo mucho a esta zona a buscar telas para hacerme ropa, y encontré una tienda que seguro que te va a encantar. Si alguna vez me caso, voy a comprar el vestido allí.

Jen le sonrió.

–Adelante, te seguimos –le dijo.

La tienda estaba en una calle secundaria, cerca de Portobello Road, y se especializaba en ropa para bodas. La dueña, una señora rubia de mediana edad, se presentó como Nicola y nos atendió como a sus mejores amigas. Nos sirvió café, té, gaseosas, scons y bombones belgas, e hizo que fuera muy divertido decidir el *look*.

–Una boda es una ocasión muy especial –dijo–, y la elección del atuendo debe ser algo agradable y no un trabajo arduo.

Nada era demasiada molestia para ella y, al cabo de tres horas de probarse casi todo lo que había, Jen logró decidirse por algo bellísimo y delicado. Era tal como Lucy lo había descrito. Sencillo y elegante: un vestido de seda color marfil cortado al bies y una chaqueta de encaje antiguo bordada a mano con pedrería en los bordes. Era tan delicada que Jen parecía una princesa. La dueña de la tienda le aconsejó recogerse el cabello el día de la boda y no usar velo, sino una corona confeccionada a mano. Le buscó una bellísima, hecha de diminutas hojas de tela dorada, perlas marinas y flores de encaje; era la clase de vestimenta que uno imaginaría para la Reina de las Hadas.

Encontramos también ropa para mí. Era muy fácil hacer compras con Nicola. Sacaba un par de prendas y resultaban perfectas. Como en el caso de Jen, nos decidimos por un vestido sencillo de seda celeste, sin mangas, con escote profundo en la espalda, con el cual me sentía increíblemente bien.

–Si me lo envías después de la boda –me dijo Lucy–, puedo acortártelo y te quedará un vestido de fiesta genial.

–Bien –dijo Jen, luego de entregar su tarjeta de crédito y pagar todo–. ¿Quién quiere ir a recorrer Portobello Road antes de que me tome el tren? ¿Seguro que quieres quedarte un día más, Cat? Si no, puedes volver conmigo.

Sabía que estaba dándome una oportunidad por si aún seguía preocupada, pero parecía que mi temor se había evaporado después de nuestra charla, y además me di cuenta de que Lucy y sus amigas usaban el metro sin problemas. No iba a perderme la oportunidad de pasar más tiempo con ellas sólo por tener una imaginación demasiado activa.

–No puedes irte –dijo Lucy–. Ya tenemos todo planeado para esta noche. Veremos un DVD y nos quedaremos a dormir en casa de TJ.

–Tú decides, Cat –me dijo Jen.

–Me quedaré –Le sonreí. Estaba descubriendo muy rápido que, cuando se tienen amigos, la vida en la ciudad podía ser divertida.

8
¡Chicos!

—¿Tu enamorado Jamie no vivía por aquí? —preguntó Izzie, después de que dejamos a Jen en un taxi que la llevaría a la estación de trenes.

—En Holland Park —respondí—. Traté de comunicarme con él, pero siempre me atiende el contestador, tanto en su casa como en el celular, y tampoco me respondió el mensaje de texto que le envié.

—Yo creía que ustedes seguían comunicándose por e-mail —dijo Lucy.

—Y así es. O era. Pero Luke le hizo algo a la computadora cuando estaba armándola en la casa nueva y no hemos podido enviar ni recibir e-mails. Por lo que sé, podría haber una pila de mensajes de él esperándome; es eso o ya se olvidó de mí.

—¿Olvidarse de una belleza como tú? Ni lo pienses —repuso Lucy—. Seguramente habrá una razón y te la explicará cuando te vea.

—Eso espero —respondí.

—Holland Park queda muy cerca —dijo Izzie, señalando a la distancia.

—¿Arreglaste para verlo mientras estuvieras aquí? —preguntó Lucy.

Meneé la cabeza.

—Becca dijo que debería darle una sorpresa, pero yo no estoy tan segura... y por eso estuve tratando de hablar con él. Es decir, sé que a mí me gustaría que me avisaran...

—Bueno, podríamos sorprenderlo —dijo Lucy—. Estamos muy cerca. Me muero por ver cómo es. ¿Cuál es su dirección?

Hurgué en mi bolso y saqué el papel donde había anotado los datos de Jamie. Se lo mostré a Izzie.

–Sé exactamente dónde es –dijo, y se puso a caminar por la acera–. Vamos. Misión: encontrar a Jamie.

–Pero ¿qué vamos a hacer? No podemos ir a su casa así como así y tocar el timbre.

–Claro que podemos –respondieron a coro Lucy e Izzie.

Diez minutos más tarde, nos encontramos en una calle ancha, no lejos de la estación de metro Holland Park. Las casas eran fantásticas. Grandes caserones color marfil que parecían hoteles más que casas. *No puede ser que viva aquí*, pensé, mirando los números mientras caminábamos.

Lucy se detuvo frente a un portal entre dos columnas blancas.

–Número veintitrés –dijo, mirando una placa de bronce–. Aquí es.

Miré el sendero que llevaba a la casa de cinco pisos en donde estábamos y me sentí muy pequeña.

–No voy a entrar ahí –dije–. Es… tan elegante. Jamie nunca me dijo que su familia tuviera mucho dinero.

–Y ¿qué, si lo tiene? –preguntó Lucy–. Tú no eres una campesina. –Rió y empezó a hablar con un fuerte acento de paisana–. Oh, Jamie, milord, soy una pobre doncella del campo que no merece dirigir la palabra a gente elegante como *usté*. Soy de Cornwall, donde apenas tenemos *eletricidá*.

Reí, pero exactamente así me sentía: como una paisana.

–No puedo creer que te sientas intimidada cuando una de tus mejores amigas es Lia Axford, y no hay casa más elegante que la de ella –dijo Izzie–. Allá te sientes cómoda, ¿no?

–Sí…

No podía explicar por qué. Era verdad: la casa de los Axford superaba todo lo demás, pero también era amigable y tenía calor de hogar. La casa de Jamie se veía fría e imponente.

—Yo también solía sentirme fuera de lugar en estos sitios elegantes —comentó Lucy—, como esas boutiques donde las vendedoras parecen modelos y te miran como si acabaras de salir de debajo de una roca; o esos hoteles donde los recepcionistas te miran de arriba abajo como diciendo: "¿Qué crees que haces aquí, insecto insignificante?". Hasta que Nesta me dijo algo: nadie puede hacerte sentir inferior sin tu consentimiento, y pensé: sí, claro. Nadie tiene idea de quién soy ni sabe nada de mí; yo podría ser súper rica. Podría ser una princesa rusa o la hija de un millonario. Cualquier cosa. Yo tengo tanto derecho como cualquiera de entrar a esos lugares, y no voy a dejar que nadie me ahuyente con su nariz levantada.

No pude evitar reír, pues Lucy pronunció su discurso con mucha vehemencia. Era obvio que en otro tiempo sí se había sentido intimidada y lo había superado.

—Debe de valer unos cinco millones —declaró Izzie, abriendo el portal y mirando la casa—. Lo sé porque Nesta solía tener un novio que vivía por aquí. Simon Peddington Lee. Su familia tenía dinero como para regalar.

—Mejor volvamos otro día —dije, echándome atrás—. No puedo enfrentar a Jamie ahora.

Sin embargo, Izzie ya había llegado a la puerta del frente y había tocado el timbre.

Yo estaba a punto de ir a esconderme detrás de un arbusto del jardín, pero luego pensé: *No seas imbécil, Cat. Es la casa de Jamie. Jamie, que gusta de ti. ¿De qué tienes tanto miedo? Él pensaría que eres una idiota si abriera la puerta y te encontrara escondida detrás de un ligustro.*

Izzie se agachó y espió por el buzón.

—Parece que no hay nadie —dijo, enderezándose, y volvió a tocar el timbre.

Esperamos unos minutos más, pero adentro todo estaba en silencio. Lancé un suspiro de alivio cuando Izzie y Lucy decidieron darse por vencidas.

–Vayamos a High Street Kensington –propuso Lucy–. Allí hay unas tiendas fabulosas, donde podemos probar todos los perfumes.

Recorrimos algunas cuadras con casas similares a la de Jamie y pronto nos encontramos en una calle llena de comercios interesantes donde se vendían las cosas más increíbles: antigüedades, viejos espejos del tamaño de una pared, hermosas estatuas, artefactos de luz, gruesas telas de brocato. Y luego, una hilera de boutiques hermosísimas, llenas de ropa que parecía hecha para princesas. Quedé admirada no sólo por el estilo, sino también por los precios: cuatrocientas libras por un top y doscientas por un par de zapatos.

Izzie y Lucy estaban mirando la vidriera de un comercio cuando lo vi. A Jamie. Estaba en una florería del otro lado de la calle y parecía estar comprando un ramo de rosas blancas.

–Dios mío –exclamé; me abalancé a la entrada del local y aparté la cara para que no me viera. Sentí como si me hubieran clavado un cuchillo en el vientre. Rosas blancas. Eran las flores que me había enviado a mí. Las primeras flores que compraba para una chica, había dicho. *Sí, ya lo veo,* pensé; volví a espiar y vi que Jamie entregaba un billete.

–¿Qué? ¿Quién? –preguntó Lucy, levantando la vista de la vidriera que estaba mirando.

–Jamie. Está en aquella florería –respondí, señalando el local.

–Pero eso es excelente –dijo Izzie–. Podemos entrar y darle la sorpresa.

–Nooooooooooo –objeté–. No entienden. Está comprando rosas blancas.

–Y ¿qué? –preguntó Lucy.

–Son las mismas flores que me envió. Yo pensaba que eran especiales, sólo para mí, pero es obvio que aquí tiene alguien más a quien regalárselas.

–Eso no lo sabes –repuso Lucy–. ¿Es el de jeans y sudadera gris?

Asomé la cabeza.

–Sí. ¿Qué está haciendo?

–Acaba de salir del local. Dobló a la izquierda y se está alejando hacia… ¡ups! Cielos…

–¿Qué? –le pregunté, y asomé la cabeza para ver mejor. Vi exactamente lo mismo que ella. Jamie se había alejado por la calle hacia una chica rubia muy bonita y acababa de darle el ramo.

Chicos. Los odio a todos.

Esa noche, en casa de TJ, las chicas hicieron todo lo posible por levantarme el ánimo. Bailaron a lo loco, contaron chistes, me dieron una tonelada de chocolate, hicieron planes para decorar mi cuarto en Cornwall. Yo me había enamorado del dormitorio de TJ apenas lo había visto. Estaba decorado con los colores intensos de Oriente: rojo, naranja, ocre, amarillo profundo, y todo daba un efecto exótico pero acogedor. Yo imaginaba mi habitación en los mismos tonos vibrantes, e Izzie y TJ dijeron que podían llevarme a algunas tiendas excelentes en Camden Lock donde podía conseguir accesorios como almohadones, lámparas y cortinas tipo sari. Me esforcé por estar animada y no mostrar la decepción que sentía por haber visto a Jamie con otra chica. Sabía que ellas no podían hacer nada, y no quería que mi malestar arruinara mi primera noche con ellas en Londres, ni que creyeran que yo era una estúpida perdedora que no hacía más que quejarse. Además, yo ya había decidido, después de mi charla con Jen, que viviría mi vida al máximo y no pensaría demasiado en lo malo.

–No fue gran cosa –dije, poniendo mi mejor sonrisa–. En realidad, no estaba *tan* enganchada con Jamie. No me importa que le haya dado flores a otra chica. Y ¿qué con eso? No estábamos comprometidos ni hacía mucho tiempo que salíamos, ni nada de eso.

–Te felicito –dijo Nesta–. Creo que yo lo habría perseguido y le habría dado un buen *sopapo*.

Izzie y Lucy habían querido enfrentar a Jamie allí mismo, pero yo las había detenido. No quería hacer una escena ni tampoco enemistarme con él. Camino a casa, Izzie no dejaba de decir que probablemente había una explicación, pero yo no lo creía. Recordaba todo el tiempo que él había dicho que yo era la primera chica a la que le regalaba flores, pero parecía muy amigo del florista. Yo había pensado que las rosas blancas serían *nuestras* flores. Mías y de Jamie. Algo que yo pudiera recordar toda mi vida. Ahora no querría ver otra rosa blanca mientras viviera. Siempre me recordarían lo traicioneros, mentirosos y falsos que pueden ser los chicos.

—Tal vez estaba disculpándose por algo —sugirió Izzie, que, por alguna razón, había decidido salir en defensa de Jamie.

Nesta meneó la cabeza.

—¿Con un ramo de flores? No. Hay algo más. Francamente, me enferma que los chicos piensen que si nos dan un ramo de flores, caeremos a sus pies. Bueno, yo no lo haré.

Lucy lanzó una carcajada.

—Qué mentirosa. Las flores te derriten.

—A ti te derriten —repuso Nesta—. Deberías haberla visto este año, Cat, cuando volvimos del viaje escolar a Florencia. Mi hermano, Tony, estaba esperándola en el aeropuerto con un ramo y ella cayó rendida a sus pies.

—No es cierto —protestó Lucy—. Mentiraaaaaaa. Y tú sabes que no fue así. Eres una mentirosa.

Ya me habían contado sobre el hermano de Nesta y sabía que él y Lucy tenían algo muy especial… como yo creía tener con Jamie.

—Olvídate de él —dijo TJ—. Tú vales más que un estúpido que manda flores a las chicas y piensa que no necesita más. En alguna parte hay un chico mucho mejor que sabrá tratarte bien.

—Lo sé, lo sé —respondí—. Y ya sé que dije que odiaba a todos los chicos, pero no es verdad. Sé que también hay chicos buenos. Mac y Zoom, por ejemplo, son geniales.

—En eso, Izzie no va a contradecirte, ¿verdad, Izzie? —bromeó Nesta.

Izzie la miró y le sacó la lengua.

–Quizá –respondió, con una sonrisa.

–Y los chicos que ustedes conocen también parecen fabulosos –proseguí–. Sé que también hay chicos que sólo usan a las chicas, pero... no creía que Jamie fuera uno de ésos.

–Qué pena que no estabas hoy con nosotras, Nesta –dijo Lucy, y luego se volvió hacia mí–. Nesta es nuestra experta en muchachos. Es capaz de detectar a un donjuán o a un canalla a un kilómetro. Ella habría sabido exactamente qué tipo de chico es Jamie con sólo mirarlo.

–Cierto –dijo Nesta–. De hecho... hmm... eso me da una idea...

9
Una chica parecida a mí

—Ya no creo que esto sea buena idea —dije, mientras Nesta, TJ y yo nos escondíamos detrás de una cabina telefónica en Holland Park, al día siguiente.

—Tranquila —respondió Nesta—. Dijiste que le gustan las sorpresas y, llegado el caso, si nos ve, podemos decir que estábamos haciendo lo que sugirió tu amiga Becca: darle una sorpresa.

Yo ya no estaba tan segura, ahora que estaba frente a su casa como una merodeadora. No sólo eso, sino que además estábamos disfrazadas. La idea había sido de Nesta, después de que Lucy dijo que ella se daría cuenta en un segundo de qué clase de chico era Jamie. A Nesta se le metió en la cabeza que debíamos seguirlo un rato como espías. El problema era que, con nuestros disfraces, parecíamos locas más que misteriosas agentes secretas internacionales.

Yo siempre había pensado que andar de incógnito significaba mimetizarse con la multitud, pero vestidas así, no habríamos podido destacarnos más aunque lo hubiéramos intentado. Lucy e Izzie habían ido a trabajar a la tienda naturista del papá de Lucy, de modo que, antes de salir hacia la casa de Jamie, TJ, Nesta y yo fuimos a un local de alquiler de disfraces, cerca de la casa de TJ. Cuando nos dimos cuenta de que el alquiler de los disfraces de espías costaba treinta libras cada uno y que las pelucas afro estaban a menos de cinco libras, las pelucas ganaron sin discusión. Así que allí estábamos, de pantalones cortos, camisetas, anteojos de sol... y pelucas de locas. La de Nesta era azul, la mía era verde limón y la de TJ, rosa fosforescente.

–Esto es absolutamente alucinante –dijo Nesta, al verse reflejada en la cabina telefónica–. Nadie espera que un agente secreto tenga este aspecto. Todo el mundo piensa que usan impermeables blancos y boinas francesas, aunque, si quieren, podemos hablar con acento francés.

Cuando estábamos en la tienda de disfraces, nos había parecido súper divertido. Una idea genial. En el metro, no habíamos parado de reírnos por nuestro aspecto, pero ahora que estábamos detrás de la cabina telefónica, el elemento de comedia empezaba a desdibujarse y, en su lugar, sentía un pánico creciente. Además, hacía muchísimo calor, no había una nube en el cielo, y me ardía la cabeza bajo la peluca ajustada.

–¿A qué se dedica el papá de Jamie?

–Tiene algo que ver con las finanzas, creo, pero sus padres están divorciados. Su papá vive en Escocia la mayor parte del tiempo.

–Ah, es un buen dato –dijo TJ.

–Podríamos ser espías escocesas en vez de francesas o rusas –propuso Nesta–. Hablemos con acento escocés durante el resto del día...

–Ustedes dos están locas –dije.

–Ey, Jimmy –dijo Nesta–. Trae tu gaita –agregó, y se puso a bailar al estilo escocés.

–Eh... recuérdenme una vez más qué hacemos aquí –pedí, mientras pasaba una señora mayor y miraba a Nesta muy extrañada.

Nesta dejó de bailar y me rodeó con un brazo.

–Tranquila, *ma petite amie* escocesa. No te preocupes. Simplemente estamos siguiendo a Jamie para ver si te merece o no, pero mientras tanto, tengo que encontrar un baño, porque necesito haceeeerrr...

TJ la miró con curiosidad.

–Eso no parece escocés.

–Es una mezcla de escocés con ruso –respondió Nesta–. Hay que mantener la mente abierta.

—Confundida, más bien —repuso TJ—. Pongámonos de acuerdo. ¿Escocés? —De pronto, se agachó detrás de la cabina y tiró de Nesta y de mí para que hiciéramos lo mismo—. Alguien está saliendo de la casa. Un muchacho. ¿Es Jamie?

Asomé la cabeza para ver. Era él. Muy puntual. Becca había hecho su tarea y la noche anterior había llamado a Henry, el amigo de Jamie, para averiguar cuáles serían hoy sus movimientos. Por supuesto, Henry quiso saber por qué nos interesaba eso, de modo que Becca tuvo que decírselo y le hizo prometer que no le contaría nada a Jamie. Nos dijo que Jamie saldría para encontrarse con él en Covent Garden a las doce del mediodía.

Nuestro plan (o, mejor dicho, el plan de Nesta) era esperar hasta que Jamie saliera de la casa y luego, como por casualidad, caminar hacia él para que Nesta pudiera verlo bien. Él no conocía a Nesta ni a TJ, pero probablemente las miraría de todos modos, en parte porque las dos tienen muy buenas piernas, pero además por las pelucas coloridas. Yo iría en el medio de las dos y, con suerte, él volvería a mirar cuando viera alguien que se parecía a mí, y entonces se daría cuenta de que efectivamente era yo, y no una chica parecida a mí. Ésa era la parte crucial del plan, porque Nesta decía que, por la reacción de Jamie, ella se daría cuenta de cuáles eran sus sentimientos por mí. Yo esperaba que tuviera razón y que no optara por llamar a la policía para denunciar que unas extraterrestres habían aterrizado en Londres e iban directo hacia él.

Jamie cruzó el portal, dobló y empezó a caminar hacia nosotras. Estaba vestido con jeans, su sudadera gris y anteojos de sol, y lucía muy bien y muy adulto.

—Levántense —les dije—. A ustedes no las va a reconocer, no sé para qué se esconden.

—Ah, cierto —dijo TJ; se incorporó y se acomodó la peluca, que se le había torcido un poco.

—Es lindo —dijo Nesta, mientras se levantaba y me ayudaba a hacer lo mismo.

Era muy extraño. Hacía muchísimo que esperaba volver a ver a Jamie. Había imaginado cómo sería. Dónde nos encontraríamos. Pero ahora que estaba pasando, quería que la tierra se abriera y me tragara. Todo era un grave error. Me veía como una imbécil. ¿Por qué diablos había dejado que las chicas me convencieran de hacer esto, hasta de ponerme esa peluca estrafalaria? No había ninguna garantía de que a Jamie le resultara divertido; de hecho, quizá ni siquiera se alegrara de verme. Observándolo acercarse, me di cuenta de que, en realidad, no lo conocía tan bien. Apenas habíamos pasado juntos un par de horas en el viaje a Marruecos y, aunque parecía que era buen chico y que yo le gustaba, ahora se veía mucho más sofisticado de lo que yo recordaba. Sabía que iba a una escuela privada, pero ahora que había visto también dónde vivía, me di cuenta de que éramos de mundos muy distintos. Toda esta idea le parecería infantil. *Dios mío, nunca más*, pensé, mientras nos dirigíamos hacia él. Ya estaba mirándonos, y ¿quién podría culparlo?, pensé, y empecé a ruborizarme del color de la peluca de TJ.

—En realidad, no quiero que me vea así —susurré, y traté de llevar a las chicas en otra dirección y, al mismo tiempo, de esconder la cara para que no me viera. Con suerte, entre los anteojos de sol y la peluca, no me reconocería y podríamos volver a casa de TJ y olvidar todo aquello.

Demasiado tarde. Venía directamente hacia nosotras.

—Hola, chicas —dijo, cuando estuvo más cerca—. Aún falta un poco para el carnaval de Notting Hill.

—¿De qué carrrnaval hablas, muchacho inglés? —le preguntó Nesta, con un denso acento más o menos ruso.

—¿No íbamos a ser escocesas? —preguntó TJ en perfecto acento irlandés.

Jamie parecía a punto de lanzar una carcajada… y entonces me vio y estrechó los ojos como para enfocar mejor. Tal como lo habíamos planeado, volvió a mirarme. Luego se acercó.

—Te pareces a alguien que… pero, Cat, ¿eres tú?

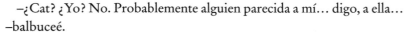

—¿Cat? ¿Yo? No. Probablemente alguien parecida a mí... digo, a ella... —balbuceé.

—Sorpresa —exclamaron a coro TJ y Nesta.

—Sí... sorpresa —dije—. Yo... nosotras... digo...

No podía negar que Jamie parecía encantado y de inmediato me envolvió en un abrazo de oso.

—¡Cat Kennedy! Esto es fantástico. Vaya... te ves... rara.

Yo no encontraba las palabras, entre la felicidad que sentía de verlo y la indecisión sobre si debía explicárselo o no.

Por suerte, intervino Nesta.

—Hemos oído mucho sobre ti —le dijo—. Yo soy Nesta, y ella es mi amiga TJ. Y, eh... ¿Sería posible usar tu baño? Me muero de ganas.

Jamie parecía confundido y divertido a la vez.

—¿Baño? ¿Qué? Eh... Ah... —balbuceó, y miró hacia la casa, nervioso—. Eh...

Nesta cruzó las rodillas y juntó las manos en posición de oración.

—Por favooooor...

La expresión de Jamie cambió de alegría a ansiedad. Observó nuestras pelucas con atención y por fin asintió.

—Vengan, entonces, pero... escuchen... eh... eso les queda muy bien, pero... ¿les importaría quitarse las pelucas antes de entrar?

Nesta, TJ y yo nos miramos como diciendo: "¿Cuál es el problema?", pero nos quitamos las pelucas de todos modos y las guardamos en la mochila de TJ. Mientras Jamie nos acompañaba a la casa, me echó un vistazo, pero ahora su expresión era impenetrable y empecé a desear no haber ido.

Recorrimos el sendero de la entrada y Jamie abrió la puerta.

—Soy yo —anunció cuando entramos a un enorme vestíbulo con piso de mármol.

Oímos pasos que se acercaban desde un pasillo a nuestra derecha y quedé boquiabierta cuando apareció una mujer vestida con un conjunto blanco de gimnasia. Aparentaba cuarenta y tantos años, era muy delgada y tenía el cabello rojo. Rojo henna. Era exactamente del mismo estilo que nuestras pelucas, pero la de ella obviamente no era un chiste. Ahora entendí por qué Jamie nos había pedido que nos las quitáramos.

–Eh… te presento a una amiga mía, Cat, y a sus amigas… –dijo Jamie.

Nesta se adelantó y estrechó la mano de la mujer.

–Nesta y TJ –completó.

–Así es, Nesta y TJ –dijo Jamie–. Y ella es mi madre.

–Disculpen el atuendo –dijo la mujer, con voz muy melosa–. Acabo de terminar mi clase de *Pilates* –se inclinó y se tocó las puntas de los pies–. Es muy bueno para mantener la espalda flexible.

Dios mío, pensé, mientras fijaba la vista en el suelo y me esforzaba por reprimir un impulso incontenible de lanzar una enorme carcajada. No me atreví a mirar a Nesta ni a TJ, ni por un segundo.

10
Señora snob

−¿Y ustedes eran…? No lo entendí la primera vez −preguntó la Sra. Parker, al tiempo que nos conducía a una magnífica sala de estar a un costado del vestíbulo. Tendría unos quince metros de largo, con techos altos, enormes ventanales y unos elegantes muebles en color crema que habrían costado una fortuna. Todo parecía sacado de una revista de diseño de interiores. En los dos grandes sofás había almohadones de seda azul pálido, dispuestos con tanta perfección que vacilé antes de sentarme, para no desacomodar nada. Había grandes libros de arte sobre una mesa ratona de vidrio con piernas de oro tallado. En el piso, había unas alfombras color crema inmaculadas, que en nuestra casa no durarían cinco minutos sin que nadie derramara algo sobre ellas.

−Eh… Catherine Kennedy, pero todo el mundo me llama Cat −respondí, en el momento en que Nesta regresó del baño y se sentó junto a TJ.

Mirando alrededor, no pude evitar pensar que el ambiente de esa casa era frío, demasiado formal para ser un lugar donde uno puede quitarse los zapatos y ponerse cómodo al regresar a casa. Mi cuarto sería todo lo contrario de ese lugar inmaculado e imponente.

El diseño empezaba a tomar forma en mi mente: todos los rojos y naranjas cálidos que había usado TJ en su habitación, y quizás un cubrecama de terciopelo rojo. Había visto uno en un catálogo de venta por correo en casa de TJ y ella dijo que podía prestármelo. Para mi cumpleaños y para Navidad, pediría adornos de tipo marroquí para completar el aspecto que yo quería, pero no debía de ser difícil crearlo con un par de latas de pintura. Además, había otra razón por la cual quería pintarlo en esos colores. Eran los tonos de todos los países donde había estado mamá, según sus diarios. Creo que le habría gustado que algunas de sus experiencias me inspiraran y saber que, aunque ella ya no estaba, seguía siendo una gran influencia en mi vida. Estaba ansiosa por volver a casa y comenzar.

La Sra. Parker miró a su derecha y hacia arriba, como si estuviese escudriñando una lista imaginaria.

–Kennedy, Kennedy. ¿Hmm? No creo conocer a tu familia. ¿De dónde eres, querida?

–De Cornwall –respondí, tratando de sentarme derecha, lo cual era difícil porque el sofá era tan grande y mullido que, cuando me recostaba, mis pies se levantaban del piso y parecía una criatura de cinco años. Me obligué a recordar lo que había dicho Lucy el día anterior, acerca de que nadie puede hacernos sentir inferiores sin nuestro consentimiento.

La Sra. Parker me observó como si yo perteneciera a otra especie.

–¿Cornwall? Ah, qué pintoresco –dijo–. ¿No es allá donde vive ese amigo tuyo de la escuela, cariño?

–Ollie Axford –respondió Jamie.

–De la familia Axford. Jamie a menudo se aloja en su casa, ¿verdad, cariño? –preguntó, con un breve vistazo a Jamie y luego a mí–. Pero supongo que tú no los conoces...

–En realidad, Lia Axford es una de las mejores amigas de Cat, ¿no es así, Cat? –intervino Jamie.

Asentí.

–No me digas –dijo la Sra. Parker, y luego, como aburrida, se volvió hacia Nesta y TJ–. ¿Y ustedes, chicas?

–De Highgate –respondió Nesta, y recibió un gesto de aprobación–. Nesta Williams, de la familia Costello Williams. Nuestra familia data de hace muchos años en España, Italia y Jamaica. Mi padre es...

TJ le dio un codazo para que se callara.

—Y yo soy de Finchley —dijo TJ—. De la familia Watts.

—¿Finchley? —repitió la Sra. Parker, y luego agregó con desdén—. Eso está en el norte de Londres, ¿no?

Jamie puso los ojos en blanco.

—Mamá nunca fue más allá de Hampstead —explicó.

—¿Y ustedes son del círculo de Jamie?

Nesta y TJ menearon la cabeza.

—Nosotras vamos a una escuela privada en el norte de Londres —respondió Nesta, y noté que TJ la miraba sorprendida.

—Y yo estudio en Cornwall —agregué—. En la secundaria local.

—Vaya —dijo la Sra. Parker, desconcertada—. Jamie, cariño, creo que nunca habías traído a casa a nadie de una escuela pública. Pero no importa. Supongo que es bueno que te mezcles con todo tipo de gente.

Jamie parecía estar deseando que se lo tragara la tierra.

—Lo siento —formó con los labios cuando su madre apartó la vista.

Ahora entendía por qué no lo había entusiasmado la idea de que entráramos a su casa. Por suerte, la señora pronto perdió el interés en nosotros y fue a ducharse y vestirse para su almuerzo de damas en Knightsbridge.

Apenas se fue, Jamie nos ofreció algo para beber y fue a buscar unos vasos de limonada.

—Eh... ¿desde cuándo nuestra escuela es privada? —preguntó TJ a Nesta apenas Jamie cerró la puerta al salir.

—Nadie está privado de entrar —respondió Nesta, con una amplia sonrisa—. Y, Cat, Jamie es de los buenos. No es un donjuán ni es de los que usan a las chicas, y es obvio que te adora. Lo estuve observando y vi cómo te mira. Entonces... tiene que haber una explicación para las flores de ayer.

No perdió tiempo para averiguarlo cuando Jamie volvió.

—Jamie —dijo—, Cat nos contó que le enviaste rosas blancas.

—Sí. ¿Te llegaron bien?

Asentí.

–Te dejé un mensaje en el contestador. De hecho, te dejé varios mensajes avisándote que vendría.

–Hace dos días me robaron el móvil –explicó Jamie–. Estaba en un café en Kensington y lo dejé sobre la mesa por un nanosegundo. Miré hacia otro lado y desapareció. ¿Probaste llamar a casa?

Asentí.

Jamie suspiró.

–Mamá nunca atiende. Deja el contestador todo el tiempo, pero es la peor para pasar mensajes. Los escucha y luego los borra. Lo siento. Pero sí te envié un e-mail para avisarte.

–Acabamos de mudarnos. Aún no tenemos conexión –le expliqué.

–Debí suponerlo –dijo Jamie–. Pero lamento no haberme enterado de que venías. Justo ahora iba a comprar un nuevo celular. Te daré el número apenas lo tenga. Uf. Al menos nos encontramos. Habría odiado perderme tu visita.

–Sí, pero no importa todo eso. Las flores... –insistió Nesta–. ¿Les regalas flores a muchas chicas?

–Nesta –le advirtió TJ–. Eso no es asunto nuestro.

Jamie sonrió y me miró.

–No me molesta. Y no, no suelo comprarles flores a las chicas. Sólo a Cat, hasta ahora, aunque... sí le compré algunas ayer a mi prima, para una amiga suya que está en el hospital. Ella no tenía dinero, así que no le digan nada a mamá, pero las cargué a su cuenta. Y volví a comprar rosas blancas porque, bueno, leí en una revista que a las chicas les gustan, y me parecen elegantes.

Nesta me miró, muy pagada de sí misma, y mientras Jamie servía las bebidas, me hizo una seña con el pulgar levantado y formó con los labios la palabra "Resuelto". Luego se abrazó a sí misma y empezó a simular un beso. Se veía tan tonta que me hizo reír; Jamie se volvió para ver de qué me reía y la descubrió en medio del beso imaginario.

–¿Estás bien? –le preguntó.

Inmediatamente, Nesta se incorporó en su asiento y tosió.

–Sí... cof, cof... sólo tengo algo atorado en la garganta.

El resto del día fue fantástico. TJ y Nesta se retiraron diplomáticamente y pasé la tarde a solas con Jamie. Él se disculpó mucho por su madre y dijo que ella suele tratar así a todo el mundo, y por eso había sido tan reacio a presentárnosla. Le respondí que no me molestaba. Y era verdad. Pasamos una tarde genial, o al menos lo que quedaba de ella. Lo acompañé a comprarse un nuevo celular, hicimos algunas compras en Kensington –donde me regaló unos jabones divinos con aroma a fresas– y, mientras tomábamos un café en *Starbucks*, le conté mis planes para decorar mi cuarto. Me pidió que lo esperara unos minutos mientras él hacía unas compras. Reapareció al rato con una bolsa de la librería *Waterstone* y me la entregó. Adentro había un libro fabuloso sobre interiores del norte de África. Era perfecto, lleno de ideas de decoración.

–Nos juntamos en Marruecos –dijo Jamie–. Y si decoras tu habitación con esos colores, será un recordatorio del tiempo que pasamos allá. Casi como si hubieses traído contigo un pedacito de todo aquello.

Una vez más, me conmovió su consideración. Yo siempre había pensado que Zoom era el rey de los gestos románticos, pero Jamie no se quedaba atrás.

Le di un gran beso.

–Muchísimas gracias. Es el regalo perfecto.

En mi mente, aquello era una confirmación doble de que mis planes de decoración eran los indicados.

Después del café, caminamos por Holland Park y nos tendimos en la hierba a tomar un poco de sol. Nos besamos un poco... y un poco más. Jamie besaba muy bien. Era suave, pero firme a la vez. Allí al sol, tomados de la mano, conversando y besándonos, me alegré mucho de haber hecho el esfuerzo de encontrarme con él. Era totalmente fabuloso como lo recordaba. *Chicos*, pensé. *Los amo.*

Al subir al tren, aunque apenas había estado fuera de casa dos días, sentía como si hubiera pasado muchísimo más tiempo y estaba ansiosa por ver a papá, Luke, Joe y, especialmente, a Emma. Estaba tan acostumbrada a que ella fuera parte de mi vida, mañana, tarde y noche, que me resultaba extraño estar lejos de ella, aunque a veces podía ser fastidiosa. Esperaba que no me hubiera echado mucho de menos. Cuando me quedaba a dormir en casa de alguna amiga, ella tenía pesadillas e iba a acostarse con alguno de los varones. Ahora que había estado fuera dos días, sin duda habría insistido en ir con papá a esperarme a la estación, a pesar de la hora tardía.

De acuerdo con lo arreglado, papá estaba esperándome en la estación, pero no había señales de Emma.

—Está feliz con Jen, en casa —me dijo papá mientras íbamos rumbo a la Península de Rame—, donde te espera una sorpresa.

—¿Una sorpresa? ¿Qué es?

—Ah. Si te lo dijera, no sería una sorpresa, ¿verdad? Ya verás.

Mi imaginación se aceleró mientras trataba de adivinar qué podía ser… Un gato. Siempre habíamos hablado de tener un gato algún día, y yo sabía que a Jen le gustaban los animales. Seguramente sería un gato. O dos. Gatitos. Fabuloso. Pasé el resto del viaje pensando qué nombres les pondría. Ben y Boris, si eran machos. O quizá Buster. Si eran hembras, Princesa y Duquesa. Con razón Emma no había querido ir a esperarme. Estaría jugando con los gatitos.

Apenas entré, busqué señales de gatos… pero nada. *Ah*, pensé, *seguramente escondieron todo para darme la sorpresa.*

Busqué a Emma y la encontré mirando televisión en la sala, sentada en el regazo de Jen.

Le tendí los brazos, como hacía siempre que había estado lejos, aunque fuera por unas horas, y ella corría y se aferraba a mí como si hiciese siglos que no me veía.

–Hola, salchichita –le dije.

Apenas levantó la vista.

–Shhhh. Estamos mirando la tele.

Jen me sonrió y puso los ojos en blanco mientras Emma seguía concentrada en sus *cartoons*.

Ja, pensé. *Se ve que me extrañó mucho.* En ese momento, Luke se abalanzó sobre mí y empezó a atarme una bufanda en la cabeza.

–¿Qué... qué haces? –le pregunté.

–Sorpresa –respondió–. Vamos arriba.

Conque allá están los gatitos, pensé, mientras él me conducía escaleras arriba. *Tengo que disimular como si no lo hubiese adivinado*, me dije, presintiendo que íbamos a mi dormitorio. De pronto, me quitó la bufanda.

–¡Taráááááááááá!

Papá, Luke y Joe estaban ahí, sonriendo como idiotas.

–¿Te gusta? –preguntó Joe, que se veía muy complacido consigo mismo.

–¿Eh? Pero ¿dónde están? –pregunté, mirando al suelo.

–¿Dónde están quiénes? –preguntó Luke.

–Los gatos. Ben y Boris.

–¿Gatos? ¿Ben? ¿Boris? ¿De qué hablas? –preguntó Luke.

Entonces levanté la vista y miré mejor mi habitación.

–Eh... –fue todo lo que pude decir. Habían pintado mi cuarto de un azul pálido. En tres tonos. En el cielorraso, las paredes y las partes de madera.

–Jen tuvo la idea al volver de Londres –explicó papá–. Nos dijo que era tu color preferido, de modo que decidimos tenerlo listo para tu regreso. Los chicos trabajaron veinticuatro horas sin parar.

–Eh... –volví a decir. Tuve ganas de correr abajo y descargar mi furia con Jen. ¿Cómo se había atrevido a elegir el color de mi dormitorio? *Mi* cuarto. Mío. El primero que era sólo mío, y ya se había hecho cargo alguien más con *sus* decisiones.

–¿Te gusta? –preguntó Joe, preocupado.

–Eh...

Luke parecía tan contento con su esfuerzo, y Joe se veía tan ansioso por complacerme, y era tan obvio que los dos lo habían hecho con la esperanza de hacerme feliz que no tuve corazón para decirles que el color que habían elegido era el último que yo quería. Y, en cierto modo, habían acertado. Era verdad que el azul era mi color preferido. Para la *ropa*. No para la decoración. Mirando a mi alrededor, vi que todos mis grandes planes de tener una habitación al estilo marroquí se evaporaban como el agua. Sentí un inmenso nudo de frustración en la boca del estómago y tuve ganas de llorar.

11
Reveses

—Y ¿qué vas a hacer? –me preguntó Becca al día siguiente, luego de examinar mi habitación. Lia, Mac y Zoom también habían venido enseguida, apenas se habían enterado del fracaso de la pintura.

—Podemos volver a pintarlo para ti –ofreció Mac–. Es fácil de arreglar. Entre Zoom y yo, si nos lo propusiéramos, podríamos hacerlo en un día.

—Aunque –intervino Lia, que estaba sentada en mi cama hojeando el libro de decoración marroquí que me había regalado Jamie– tengo que decir que quedó muy bien. El color pastel le sienta a esta habitación. Le da un aspecto luminoso y ventilado, y eligiendo bien las cortinas y los almohadones, podría quedar fabuloso. Ya sé que tenías la idea de usar colores cálidos y fuertes, pero... no creo que hubiesen quedado bien aquí. Me parece que son mejores para las casas antiguas, y ésta es moderna. Los rojos y naranjas cerrarían el espacio. Los pasteles lo abren.

—¿Qué quieres tú, Cat? –preguntó Zoom–. Es tu cuarto y sé lo importante que es para ti después de tantos años de compartir con Emma. ¿Qué te gustaría? Sólo dilo y transformaremos el lugar.

—Pero Luke y Joe quedarían desolados, sin mencionar el dinero que gastó papá en la pintura –respondí.

—Yo creo que él entendería –repuso Lia.

—No me digas –dije–. Como si fuera a ponerse de mi lado. Hoy en día, sólo le importa lo que piense Jen.

–Pues habla con Jen –propuso Becca.

–Bah, con ella... –bufé.

Apenas había hablado con Jen desde mi regreso. Todo aquello era culpa suya. No habría necesitado más que una llamada telefónica para preguntarme si me parecía bien, pero no, ni se le había ocurrido consultarme. Se había metido en mi cuarto, igual que en el resto de la casa, y poco a poco iba haciéndose cargo de todo. Todo el acercamiento que habíamos tenido en Londres se había esfumado, por lo que a mí respectaba, y ahora ella estaba en mi lista de personas para evitar, algo que estaba resultando difícil porque lamentablemente, siendo su dama de honor principal, yo debía estar organizando su despedida de soltera y tenía que estar todo el tiempo pidiéndole los números de teléfono de sus amigas y preguntándole qué clase de comida y bebida deseaba. De todos modos, ella estaba extraña. Nerviosa e impaciente. No sólo eso; por ella, papá se había enojado conmigo. Sólo porque no había caído a sus pies diciendo: "No soy digna, muchísimas gracias, oh, todopoderosa Jen", él me había llamado "señorita desagradecida". ¡A mí! ¡Qué descaro! Yo no había pedido que me pintaran la habitación. ¡Y, mucho menos, de azul!

Metí la mano debajo de la cama y saqué el baúl.

–Dios mío. El baúl de tu mamá –dijo Becca–. ¿Podemos mirar?

Asentí. Ya les había contado lo que contenía, pero era la primera vez que lo veían, y noté que Zoom se quedaba atrás. Él había conocido bien a mi mamá, y ella siempre había tenido debilidad por él. Nos miramos brevemente como reconociendo que, de todos ellos, era Zoom quien mejor entendía lo que significaba para mí haber encontrado el baúl.

Pronto, los cuatro estaban revisando los archivos, fotos y diarios, y en un momento a Lia se le llenaron los ojos de lágrimas.

–No soporto pensar por lo que habrás pasado –dijo–. No imagino qué haría yo si les pasara algo a mi mamá o a mi papá.

–Yo tampoco –dijo Becca, al encontrar el archivo de viajes de mamá y empezar a hojearlo–. Vaya. Parece que tu mamá viajó por todas partes.

—Sí —respondí—. Y yo nunca supe nada. Creo que habrá renunciado a todo eso cuando se casó y tuvo hijos. En parte, fue al ver esas notas y esos diarios de sus viajes que decidí pintar mi cuarto con los colores de Marruecos. Un lugar que ambas habíamos visitado, aunque en momentos diferentes. Quería hacerlo en su memoria. Para que supiera que, aunque hayamos dejado la casa vieja, ella sigue siendo mi mamá y siempre lo será. Era una manera de traer aquí parte de ella. Al menos, su influencia.

—Vaya —exclamó Mac—. Qué buena idea.

—Y ¿qué vas a hacer? —volvió a preguntar Becca.

—No lo sé. Pero primero, díganme con sinceridad qué les parecen los colores.

Becca parecía incómoda.

—En realidad, estoy de acuerdo con Lia. Me gusta, pero ahora que he oído lo que acabas de decir, entiendo absolutamente por qué querías usar los colores de los lugares donde estuvo tu mamá. Son todos colores del sol, ¿verdad? Creo que, sin duda, deberías pintarlo de nuevo, por más que el azul quede bien.

—Mac, ¿qué piensas tú?

—Dios mío, ahora no lo sé. Ustedes, las chicas, son muy complicadas. ¿Qué quieres que piense?

Reí. Era una respuesta típica de Mac. A veces se preocupaba mucho por decir lo correcto. Me acerqué y simulé estrangularlo.

—¡Mac, dame una opinión o te mato!

—Está bien, está bien. Hazlo marroquí por tu mamá.

—¿Zoom?

—Concuerdo con Lia. Creo que tus hermanos, o Jen, o quien haya sido, eligieron un buen color y podrías resolverlo agregando algunas cosas. Yo… quizá tenga una idea de cómo podría quedar absolutamente fabuloso; déjame estudiarlo un poco primero.

Rezongué.

—Ahora sí que estoy confundida –dije–. Dos a favor, dos en contra. Ya no sé lo que pienso. ¿Qué voy a hacer?

—Vive con este color por un tiempo –sugirió Lia–. Y, mientras tanto, no te enojes ni te descargues con Jen, pues dudo que lo haya hecho para fastidiarte. Creo que ella trataba de hacer algo bueno por ti. Enfadarte con ella es un tremendo desperdicio de energía, porque no es que no puedas cambiarlo.

Amo a Lia. Es muy sensata y, cuando se marcharon todos, me quedé pensando en lo que me había dicho sobre Jen. Lo habíamos pasado muy bien en Londres, y ahora que me había calmado un poco, me daba cuenta de que ella había querido pintar mi cuarto para darme una linda sorpresa. Y yo, ¿qué había hecho? La había ignorado y me había portado como una princesa malcriada. Ella no podía conocer mis planes porque nunca se los había contado. Tampoco podía saber acerca de mamá, de sus viajes o de su baúl. Y yo que me quejaba de que era papá quien no se comunicaba, cuando todo el tiempo había sido yo la que no lo había hecho.

La casa quedó en silencio cuando se fueron Lia, Zoom, Becca y Mac, y estaba a punto de volver a mi habitación cuando oí unos sollozos que provenían de la sala. Pensando que serían Joe, Luke o Emma, entré para ver qué pasaba.

Jen estaba sentada a la mesa junto a las puertas abiertas que daban al patio, de espaldas a mí, pero por sus hombros caídos me di cuenta de que se sentía mal por algo. Se volvió al oír mis pasos y se enderezó. Inmediatamente vi por sus ojos enrojecidos que había estado llorando. *Dios mío*, pensé. *Es por mi culpa.*

—Ah, Cat, pensé que habías salido con tus amigos –dijo, intentando sonreír.

Meneé la cabeza.

—Los veré más tarde. Aún tengo algunas cosas que hacer en mi cuarto. ¿Y papá y los demás?

—Fueron a buscar algunas cosas al almacén –respondió.

Me acerqué, me senté a la mesa frente a ella y respiré hondo.

–Jen, lo siento. Me he portado muy mal contigo.

Se puso seria e inclinó la cabeza.

–No. Discúlpame tú. Soy una tonta. Debería haber esperado. Haberte preguntado. Tienes casi quince años, claro que tienes tus propias ideas para tu cuarto. Soy una idiota. Siempre he sido así. Aries. Siempre actúo sin pensar.

Le sonreí.

–Eh, no olvides que yo también soy de Aries. No es un buen signo para ser cuidadoso o ir despacio.

Me dirigió un asomo de sonrisa.

–Sí. Tienes razón.

–¿Por eso llorabas?

Se retorció las manos.

–Sí. No. Puede ser… No lo sé, Cat. Todo está sucediendo con mucha rapidez y yo…

Empezó a sollozar una vez más y se veía tan mal que sentí pena por ella. Me puse de pie, fui a sentarme a su lado y la rodeé con un brazo.

– Jen. ¿Qué tienes? No llores. Puedo explicarte por qué reaccioné así por la habitación. –Mientras ella seguía sollozando, le conté sobre mi hallazgo del baúl de mamá y sobre sus diarios de viaje, toda la historia…– Y por eso me enojé tanto –concluí–. Pero tú no podías saberlo. Yo debería habértelo contado. Y a los demás también. Soy yo quien debe pedir disculpas.

Mi explicación sólo la hizo llorar más aún.

–Perdón –dijo–. No sé qué me pasa hoy. Dios mío, Cat, ¿podrás perdonarme? Me siento peor que nunca, ahora que me contaste sobre tu mamá.

–No podías saberlo. Pero ¿y tú? ¿Puedes perdonarme por portarme como una niña malcriada?

–Tú nunca serás una niña malcriada, Cat. No eres así. –Dio un largo suspiro–. Ay, qué lío…

–¿Por qué dices eso? –le pregunté–. ¿Pasa algo más?

Jen volvió a ponerse seria.

–Sólo… todo. Yo… no sé si estoy lista para esto –dijo, señalando alrededor–. Me caso en poco más de una semana y, además del vestido y la ceremonia, no tengo nada planeado. Con toda la conmoción, no…

–¿Qué? Escucha, Jen, no puede ser tan malo.

–Sí lo es. Ha pasado lo peor que podía pasar. Con toda la conmoción, olvidé confirmar la fecha de la fiesta. Yo pensaba que estaba confirmada. En serio. Pensaba que habían entendido que así era, pero debería haber enviado un cheque un mes antes de la fecha. Yo no lo sabía, o no recordaba que me lo hubiesen dicho. Aparentemente, llamaron a mi antiguo apartamento, pero como yo no estaba, cancelaron la reserva y cedieron los salones a otra persona. Dios mío. Acabo de hablar con ellos por teléfono. ¿Qué voy a decirle a tu papá? Va a pensar que soy una imbécil… Yo no sabía. Pensaba que estaba todo arreglado. Dios mío. Pero debería haberlo verificado. Qué estúpida fui. Tenía la cabeza en otra parte, en la mudanza y en pintar habitaciones de azul que nadie quería que le pintasen. Todo esto es demasiado, este nuevo capítulo. No creo poder soportarlo. Nada me sale bien.

La abracé.

–Bueno, ¿qué esperabas de un *nuevo* capítulo?

–¡Que todo saliera PERFECTO! –exclamó, e intentó reír, pero le salió más bien como un hipo y me di cuenta de que estaba muy angustiada–. No lo sé, Cat. No es sólo el hecho de que ahora no tenemos dónde hacer la fiesta, sino que ya no sé si estoy lista para esta clase de vida. Marido. Casa nueva. Boda. Seré la Sra. Kennedy. Madrastra de cuatro niños… Disculpa, no quise insinuar que fueras una niña; ya sabes lo que quise decir. *Madrastra*. Las madrastras siempre son malas, como en el cuento de Blancanieves, ¿no? El caso es que no me siento capaz. No creo poder hacerlo. Seré una pésima esposa. Una pésima madrastra. Hasta creo que aún no termino de madurar, y encima de todo, creía que me odiabas…

—Pues no es así —le aseguré, y le di un fuerte abrazo—. Para mí también todo ha sido nuevo. Pero te irá estupendamente bien, Jen. Eres genial. A todos nos irá muy bien. Nos las arreglaremos.

Jen aspiró con fuerza.

—¿Te parece?

Asentí.

—Pero mira esto. ¿Ves? Es una prueba de que soy pésima. Yo soy la adulta y sin embargo eres tú quien está consolándome. ¿No debería ser al revés?

—No necesariamente —respondí—. De todos modos, no eres mi mamá y no tienes por qué serlo. Yo no quiero eso.

Jen puso su mano sobre la mía.

—Lo sé. He sido muy consciente de eso, y siempre traté desesperadamente de no pasarme de la raya. Sé que jamás podría ocupar el lugar de tu mamá, pero sí quiero ayudarte a ti y a Luke, Joe y Emma, además de tu papá... es decir, si me lo permiten. Quiero que cuenten conmigo si me necesitan.

—Y tú, cuenta conmigo, Jen. Creo que podemos ser buenas amigas, si lo intentamos.

Nos quedamos sentadas un momento, abrazadas, y volví a sentir todo el cariño que había sentido en Londres. Por supuesto que era un gran cambio para ella. Papá, Luke, Joe, Emma y yo vivíamos juntos desde siempre, y aunque nos habíamos mudado, no necesitábamos habituarnos a vivir con otras personas, como tendría que hacer Jen. Para ella había sido un cambio de vida mucho mayor, y yo ni siquiera lo había pensado hasta ahora.

Al cabo de un rato, Jen se sonó la nariz y me miró.

—Cat, ¿crees que... que yo podría ver lo que encontraste en el baúl? Nunca vi fotos de tu madre, pues tu papá las tiene muy guardadas. No sé nada de ella, y es una parte tan importante en la vida de todos ustedes que me gustaría saber más sobre ella, quién era, qué cosas le gustaban.

—Claro que sí —respondí—. A mí también me encantaría. Subamos. Y, Jen…

—¿Sí?

—Todavía no le digas nada a papá sobre la cancelación de la fiesta.

—Pero ¿por qué no? Tengo que decírselo en algún momento. Quizá podríamos hacerla aquí. Conseguir una tienda…

—Podría ser —respondí—, pero me gustaría ayudar. Conozco muy bien la zona, así que déjame averiguar un par de opciones… es decir, si no te molesta. Ya estoy yo, la ariana, interviniendo. Pero estoy segura de que podría encontrarte algo… y, al fin y al cabo, soy la dama de honor principal.

—Está bien —respondió—, pero… no hagas nada ni reserves en ninguna parte sin hablar primero conmigo, ¿eh?

Las dos lanzamos una carcajada al darnos cuenta de lo parecidas que éramos, y levanté la mano para chocar los cinco con ella.

—Ésa puede ser nuestra primera regla de convivencia. Siempre conversar sobre los planes antes de hacer nada.

Jen chocó los cinco conmigo.

—Me parece bien —respondió—. Y, a propósito, si quieres invitar a ese chico de Londres a la boda, hazlo, y también a esas amigas nuevas. Quiero que disfrutes el día tanto como tu papá y yo.

—Gracias, Jen —respondí, y tuve que morderme los labios para no decirle que ya había invitado a todos. Había dado por sentado que serían bienvenidos. *Uf*, pensé, *las arianas tenemos que tener mucho cuidado antes de hacer algo.*

Subimos a mi cuarto y, por segunda vez en el día, saqué el baúl. Me di cuenta de que significaba mucho para Jen que yo se lo enseñara, y me sentí bien al compartir lo que había averiguado sobre mamá en lugar de esconderlo como un secreto oscuro del que no se habla.

12
Pánico

—Dios mío, Dios mío, Dios mío —rezongué a Lia y Becca mientras corría por nuestra cocina buscando vasos, tenedores y cuchillos—. No podremos terminar a tiempo y la culpa es mía. Si no me hubiese hecho la ofendida con Jen por lo de mi habitación, le habría organizado la despedida de soltera hace muchísimo tiempo.

—Cálmate y deja de comportarte como una gallina sin cabeza —me dijo Becca.

En respuesta, me puse a cloquear y a agitar los brazos imitando a una gallina. Lia y Becca lanzaron una carcajada y empezaron a hacer lo mismo por toda la cocina, y pronto nos acompañó Emma, que al oír la conmoción había venido a ver qué pasaba y se agregó al grupo con gran entusiasmo.

Era el viernes anterior a la boda y faltaba poco más de una hora para que llegaran diez amigas de Jen. A papá lo habíamos enviado al pub. Luke y Joe se quedarían en casa de un amigo, y a Emma le habíamos permitido quedarse porque insistió en que ella era una de las chicas. Rogó que la dejaran ponerse su ropa de dama de honor y, finalmente, Jen accedió.

—Hoy estás muy bien vestida —le dijo Lia, cuando apareció y dio una vuelta para mostrar su atuendo.

—Es mi vestido de boda —respondió—. Y esta noche es parte de la boda.

Eso es indiscutible, pensé, y tomé nota mentalmente de llevarlo a la tintorería antes del gran día. La lista de cosas para hacer antes de la boda se hacía cada vez más larga, y el número uno en la lista era: *Buscar un lugar para la fiesta o acabaremos todos en el patio de atrás.*

–¿Quiénes vienen? –preguntó Lia.

–Un grupo de compañeras de trabajo de Jen –respondí–, así que no se sientan obligadas a quedarse. La mayoría tiene treinta y tantos años, de modo que probablemente querrán quedarse sentadas bebiendo algo y conversando sobre el trabajo.

–No hay problema –dijo Lia–. ¿Dónde está la lista de cosas para hacer?

–Junto al refrigerador –respondí.

Lia y Becca me habían hecho el enorme favor de venir a ayudarme a organizar la reunión. Yo no sabía qué hacer, pero Jen me aseguró que con que hubiera sólo un poco de comida y bebida, todo estaría bien. A mí me parecía súper aburrido, pero era su noche, así que ella decidía.

–Vino –leyó Lia.

–En el refrigerador, pero… abre un tinto para que suelte los vapores o respire o lo que tenga que hacer.

–¿Cosas para mezclar? –preguntó Lia–. A las chicas suelen gustarles los tragos de chicas. Lo sé porque a veces atiendo el bar en las fiestas de mamá. Se necesita mucho *Ginger ale*, *Coca* y limonada, y jugo para quienes tengan que conducir.

–Contrataron un minibús con chofer –respondí–. No creo que ninguna vaya a conducir. Demonios, patatas fritas. Maníes.

–Listo –dijo Lia, y me mostró dos tazones bien llenos.

Habíamos enviado a Jen arriba a mimarse y acicalarse tranquila para que pudiera disfrutar de la noche, y yo pensaba que lo tenía todo bajo control hasta que empezamos a sacar las cosas. No encontraba nada. El destapador. Los ceniceros. ¿Había suficientes vasos? Aún quedaban cajas sin desempacar en los armarios.

Lia y Becca me dijeron que me sentara, respirara hondo y limpiara algunos vasos mientras ellas se hacían cargo.

Pronto tuvieron todo organizado.

Media hora más tarde, la casa estaba hermosa: velas en los estantes (aunque era una noche cálida de verano y aún era de día, corrimos las cortinas para crear el ambiente), las habitaciones se habían rociado con aroma de jazmín, el vino blanco estaba enfriándose, los bocadillos estaban preparados, un poco de música suave en el reproductor de CD, y estuvimos listas para la llegada de las invitadas.

Lia me llevó a un lado.

—Ya sabes que los chicos están preparando una sorpresita —dijo—. Eh... bueno, digamos que es probable que Jen no sea la única sorprendida.

—Y eso, ¿qué significa? —le pregunté.

Lia se limitó a guiñarme un ojo.

—Ya lo verás —respondió, riendo.

—Creo que llegaron las damas —anunció Becca, al ver por la ventana un minibús que acababa de estacionarse afuera.

Respiré hondo y me preparé para comportarme lo mejor posible con las compañeras de mediana edad de Jen.

Dos minutos después, diez chicas alocadas entraron por la puerta. Tenían boas rosadas alrededor del cuello, orejitas de conejo en la cabeza, y un par de ellas traían varitas mágicas... que, por supuesto, tuvieron que entregar a Emma, quien de pronto tenía el atuendo perfecto para la ocasión.

—¡Que empiece la fiesta! —exclamó una chica alta y rubia de escote muy profundo—. ¿Dónde está Jen?

Jen apareció en la escalera.

—Hola, Carole, Marcie, Trace. Hola...

En un segundo, bajó la escalera y todas empezaron a saludarla con besos al aire; alguien sacó un velo y una corona y se los pusieron a Jen en la cabeza. Otra chica le colocó unas esposas de velcro rosado, y otra, una cadena con una bola de plástico. Aquellas chicas parecían divertidas.

Lia había tenido razón respecto de las bebidas: se prepararon grandes jarras de cócteles de frutas y pronto empezaron a circular mientras el nivel de ruido crecía más y más. Mi CD de música de fondo "de buen gusto" fue reemplazado por Bruce Springsteen, luego por los Rolling Stones, y las chicas se pusieron a bailar con todas sus ganas.

—Eh... ¿no dijiste que iban a ser unas aburridas? —dijo Becca con una sonrisa, mientras las observábamos desde la cocina—. ¡Parecen una banda de niñas de ocho años hiperactivas que han ingerido demasiada azúcar!

—Lo sé. Ojalá nosotras seamos así de aburridas a su edad —respondí—. ¿Quiere bailar, señorita?

—Cómo no —respondió Becca, y fuimos a bailar con Lia, que ya estaba haciendo pasos de ballet con Emma en el medio de la sala. Tal como había pasado antes con el baile de la gallina, todas se engancharon y se pusieron a hacer piruetas y saltos de ballet.

Fue divertidísimo, y al cabo de una hora o más de bailar y cantar a más no poder, las chicas le dieron regalos a Jen. Le habían comprado unas cosas fabulosas, desde pícaras a bonitas: marcos para sus fotos de boda, ropa interior de seda para la luna de miel, jabones perfumados, velas aromáticas, libros sobre cómo mantener viva una pareja, un pene de chocolate...

—A tu papá le van a encantar ésos —observó Becca, cuando Jen desenvolvió un par de calzoncillos comestibles con sabor a banana.

—No quiero ni enterarme —respondí, tapándome los ojos con las manos.

Luego de los regalos, una de las chicas organizó juegos, y jugamos a las adivinanzas, a las estatuas musicales, y justo cuando estábamos por empezar un juego de sillas musicales, sonó el timbre.

—Dios mío —dijo Jen—. Si alguna de ustedes contrató a un desnudista, la mataré.

Lia y Becca pusieron cara de culpables y fueron a abrir la puerta. Una mano entregó a Lia un reproductor de CD portátil y ella apretó una tecla. Inmediatamente, empezó a sonar la música de la escena del *striptease* de la película *The Full Monty*.

–Nooooooo –exclamó Jen–. Sí lo hicieron.

Levanté las manos como diciendo "Yo no tuve nada que ver", y me volví para observar junto con las demás.

No eran desnudistas comunes y corrientes. Los que entraron eran Zoom, Mac, Ollie y... ¡Mi madre! Apenas podía creer lo que veía... Jamie. Me miró de inmediato y sonrió avergonzado.

Becca me dio un codazo.

–Sorpresa –dijo–. Vino ayer a quedarse con los Axford. Cuando Ollie le contó que los chicos harían esto, nos pidió que no te dijéramos que él también participaría.

Los chicos llevaban sombreros, bufandas, abrigos y botas de lluvia, y habrían estado cocinándose pues había sido un día muy caluroso. Las chicas empezaron a aplaudir al ritmo de la música y los muchachos empezaron una rutina de baile que obviamente apenas habían ensayado un par de veces. No importaba, pues eran graciosísimos. Zoom y Mac bailaban en una dirección mientras los demás iban en la otra. Ollie parecía hacer la suya como si fuera la estrella, y Jamie carecía de todo ritmo. No obstante, se movían vagamente al compás de la música. Cuando Zoom dio la señal, se quitaron los sombreros, luego las bufandas...

Jen y sus amigas empezaron a exclamar: "Más, más, más" y a golpear el suelo con los pies. Hasta Emma se puso a imitarlas.

Se quitaron los abrigos, los jeans...

A esa altura, Zoom y Ollie la estaban pasando de película, pavoneándose como bailarines profesionales de un lado a otro de la sala. Zoom revoleó su camiseta y se la arrojó a una de las chicas con un guiño descarado. Ollie meneó las caderas mientras se quitaba la camiseta por encima de la cabeza. *Hmm, buenos abdominales*, no pude evitar pensar. Mac y

Jamie, en cambio, parecían querer morirse, y no pude contener la risa al ver su expresión avergonzada mientras se contoneaban y trataban de hacer su papel.

–Más, más… –exigían las chicas, y al fin los cuatro muchachos quedaron sólo con sus trajes de baño, con corbatas blancas de moño en el cuello y las botas. Entonces se pusieron en fila, dieron media vuelta, se inclinaron y menearon los traseros hacia nosotras.

Zoom se incorporó y se volvió.

–Y así, señoras, termina el espectáculo.

–Provocadores –les gritó una chica y, por un momento, pareció que ella y su amiga iban a echarse encima de los muchachos y desnudarlos por completo.

Por suerte, se salvaron pues Jen se puso de pie, un poco insegura por haber reído tanto. Se dirigió a la puerta, luego dio la vuelta y levantó los brazos en el aire.

–¡Conga! –exclamó, y se puso a menear las caderas y cantar la melodía de la conga–. Tara-ra-rara-raaa…

De pronto, parecía perfecto hacer eso. En un instante, todo el mundo estaba de pie y bailando en trencito con las manos en las caderas de quien tenían adelante, sacando primero la pierna izquierda y luego la derecha. Jamie vino directamente hacia mí para que yo quedara delante de él; luego salimos a la calle y nos encaminamos al pueblo, cantando a voz en cuello, y pasamos por el pub donde estaba papá sentado junto a la ventana. Tuvo que volver a mirar cuando nos vio pasar bailando la conga como lunáticos y yo lo saludé con la mano. En un momento, juro que vi al Sr. Gibbs, del periódico local, mirándonos boquiabierto desde la acera, y luego vi un flash. Seguramente nos tomó una foto mientras volvíamos bailando colina arriba y entrábamos nuevamente a la casa.

Fue una noche genial. La mejor despedida de soltera que habían tenido, dijo luego una de las chicas, mientras subían tambaleantes a su minibús para irse a dormir. Y fue más perfecta aún para mí porque Jamie había venido y era obvio que seguía muy enganchado conmigo. Le prometí que lo vería al día siguiente por la tarde. Mac y Zoom se fueron en la parte trasera de la camioneta del Sr. Squires, y el Sr. Axford vino a recoger a Ollie, Lia, Jamie y Becca.

Jen me rodeó con un brazo mientras contemplábamos el desorden que había quedado.

–Dejémoslo para mañana –dijo–. Y gracias por encargarte de todo.

–No es nada –respondí–. Ya pasó la despedida de soltera. Ningún hueso roto. Todo el mundo intacto...

Jen se frotó la cabeza.

–Más o menos.

–Ahora sólo necesitamos un lugar donde hacer la fiesta.

Jen gimió.

–Ay, no... Lo había olvidado por un rato. ¡Una cosa a la vez!

13
Noticias en primera plana

Probé con el Hotel de Whitsand Bay. Estaba todo reservado. El Hotel de Penlee Point. También todo reservado. Seguí costa abajo hasta Seaton y Downderry, pero no tuve suerte. Probé en todos los hoteles alejados de la costa que conocía y una recepcionista hasta se rió de mí.

—¿Quieres reservar para el próximo sábado? Estamos en plena temporada —dijo—. La mayoría de la gente reserva para este tipo de fiestas al menos con un año de anticipación.

Pedí ayuda a Lia y Becca, pero ni siquiera llamando las tres pudimos encontrar nada.

—Reservado, reservado, reservado —dijo Lia, mostrándome la lista que había verificado.

—En St. Austell hay un granero donde entrarían cien personas —dijo Becca—, pero no se encargan de la comida y, de todos modos, es muy lejos, ¿no?

Asentí.

—Necesitamos un lugar por aquí, pero el tema de la comida está resuelto. Lo hará la mamá de Mac. ¿Recuerdan que ella solía encargarse de grandes fiestas cuando vivían en Londres? Mac dijo que para ella será pan comido y le encantará el trabajo, aun con tan poca anticipación. Lo único que necesitamos es un lugar con capacidad para ochenta personas.

Entonces nos pusimos a investigar compañías que rentaban tiendas, pero igual que los hoteles, parecía que todo el mundo quería casarse en agosto y ya estaban todas reservadas.

—Podríamos arriesgarnos —sugerí— y hacerlo sin tienda, pero se daría la Ley de Murphy, ¿no? Seguro que ese día llovería torrencialmente.

—Pero en realidad, Cat —dijo Becca—, esto no es responsabilidad tuya. Tú deberías estar con Jamie, aprovechando que está aquí, no pegada al teléfono. Esto es problema de tu papá y de Jen. Esta nueva fase de tu vida debía liberarte de la responsabilidad de cuidar de todos, pero has acabado por hacerlo más que nunca.

—Es que yo *quiero* hacer esto por ellos —respondí—. Merecen un lugar bonito para la fiesta. Además, ya he visto a Jamie. Muchas veces. Mientras trataba de organizar esto. Y mi vida sí será diferente una vez que las cosas se calmen, pero la mudanza y la boda son el comienzo de esta nueva etapa. Quiero que todo salga bien, y papá y Jen también están buscando lugares. Ellos no saben que yo le estoy dedicando tanto tiempo. Es más, creo que se han dado por vencidos, porque los oí decir que, como último recurso, podemos hacerla en casa... pero entonces no será tan especial, ¿no creen?

—Déjame hablar con mi mamá —dijo Lia, y lancé por dentro un suspiro de alivio. Yo había tenido la esperanza de que dijera eso porque, si alguien podía resolver este problema, era la Sra. Axford. Ella era un as organizando fiestas, pero yo no había querido pedirle nada para que no pensara que quería sacar provecho de su generosidad. Ella siempre nos invitaba, a mí y al resto de mis amigos, a todas las reuniones sociales en Barton Hall, y nos daba disfraces si se trataba de una fiesta de fantasía, y luego nos daba la comida que había sobrado. No quería que pensara que yo no valoraba todo eso.

Justo después de que Lia fue a buscar a su mamá, llamó Zoom.

—Ven ahora mismo —insistió.

—¿Por qué? ¿Pasó algo?

–No. Sólo ven aquí.

–Cuéntamelo ahora, Zoom –le pedí, pero ya había colgado–. Me dan ganas de matarlo cuando hace eso –le dije a Becca–. Me exige que vaya sin decirme por qué, y entonces mi mente se acelera tratando de adivinar qué quiere.

–La mía también –respondió Becca–, así que vamos para allá.

Subimos a nuestras bicicletas y pedaleamos hacia el pueblo lo más rápido que pudimos. Una vez allá, la mamá de Zoom nos indicó que subiéramos al cuarto de él, que estaba sentado frente a su computadora. Echó un vistazo al reloj.

–Hmm. Demasiado lentas –dijo–. Cuando convoco a mis subordinados, espero que lleguen en tiempo récord.

Miré a Becca y ella asintió. Juntas, tiramos de Zoom hasta sacarlo de su silla y lo derribamos sobre la alfombra.

–No, no –exclamó–. Mi pierna, mi brazo, no olviden mis huesos rotos...

Becca lo sostuvo contra el suelo.

–Sus excusas patéticas no nos conmueven, *señor* –le dijo–. Hace muchísimo que te quitaron el yeso.

Zoom se tapó la cara con las manos.

–Está bien. Hagan lo que deban hacer, pero jamás les revelaré mis secretos. Pueden torturarme, hacer lo peor, pero les ruego que no arruinen mi hermosa cara.

–Becca, déjalo levantarse –le dije–. Vamos, basta de juegos. ¿Qué querías?

Becca hizo lo que le pedí y Zoom volvió a sentarse frente a su compu. Presionó algunas teclas y luego fue bajando por la pantalla hasta encontrar un sitio de Internet.

–No quería describírtelo por teléfono, Cat, por si no sonaba tan fabuloso como se ve, pero mira esto...

Se detuvo en una página que mostraba el interior de una habitación, y entonces se volvió para observar mi reacción.

–Dios mío –exclamé, al ver la imagen en la pantalla–. Zoom, eres un ángel.

–Sí, ¿verdad? –respondió, con una gran sonrisa–. Y es marroquí.

Era perfecto. Una habitación en Marrakech. Las paredes estaban pintadas del mismo tono celeste que la mía, pero el diseñador había usado un naranja tostado para contrastar con el azul y quedaba absolutamente fabuloso. Las ventanas y la puerta estaban pintadas de naranja; en la ventana flotaban cortinas de seda de un color naranja óxido, y se habían elegido varios adornos para complementar la gama de colores.

–Tenía la idea de haber visto algo así –explicó Zoom– cuando Lia empezó a hablar del viaje a Marruecos, y estuve buscando en la Red. No quise decirte nada hasta estar seguro de que podía volver a encontrarlo.

–Es asombroso que lo hayas recordado –dije.

–En su momento, me llamó la atención por el uso del color. No siempre es necesario tener paredes anaranjadas o rojas para darle un aspecto exótico a una habitación. De hecho, muchos diseñadores en los países cálidos utilizan paredes blancas, pero con alfombras, almohadones y lámparas adecuadas, puede quedar absolutamente marroquí.

Zoom sabía de esas cosas, y le interesaban el color y el diseño, porque, cuando termine la escuela, quiere estudiar dirección de cine o fotografía. Le di un gran abrazo.

–¿Puedes imprimírmela? –le pedí.

Zoom asintió, pulsó algunas teclas y la imagen empezó a imprimirse.

–Si vas a una de las tiendas de bricolaje más grandes, ahora tienen todo tipo de efectos de pintura, y seguro que podrás encontrar uno que haga que la pintura parezca resquebrajada como madera antigua, lo cual quedaría fabuloso con el naranja tostado. Si quieres, Mac y yo te ayudaremos a hacerlo.

–Me encantaría –respondí–. ¿Tal vez después de la boda?

–Sólo dinos cuándo –respondió Zoom–. Y dejaremos tu habitación exactamente como tú la querías.

Zoom es un excelente amigo, y yo sabía que no descansaría hasta que yo quedara conforme con el resultado. *Al menos una cosa está resuelta,* pensé, mientras él me imprimía el esquema de colores. Después de todo, mi cuarto sí quedaría genial.

—Quisiera hacer algo por ti para compensarte —le dije—. ¿Qué puede ser?

Zoom se encogió de hombros.

—No es necesario que hagas nada. Yo...

—Ya sé —exclamé, cuando se me ocurrió una idea—. ¿Cómo te está yendo con la bicicleta?

Zoom gimió.

—Ya llegaré a eso uno de estos días.

—¡Hoy mismo, entonces! Tú puedes, Zoom.

—Lo sé, pero... Mac y Lia han estado tratando de que lo haga, observando cada movimiento, pero no se dan cuenta de que empeoran las cosas.

—No voy a mirarte —le aseguré—. Puedes caerte cuantas veces quieras. De todos modos, aprendimos juntos a andar en bici, ¿te acuerdas?

—Sí, vamos. Somos tus más viejas amigas —le recordó Becca—. ¡Al menos, Cat lo es!

Zoom suspiró y se puso de pie.

—Supongo que sí... y si no puedo hacer el ridículo delante de mi más vieja amiga, entonces ¿delante de quién?

Fuimos abajo y sacamos la bicicleta del cobertizo. Luego de subirse varias veces con nosotras sosteniéndole el manubrio, de pronto dijo:

—Basta, esto es ridículo. Suéltenlo.

Y se puso a pedalear por el camino, tan feliz como siempre. Detuvo la bicicleta, dio la vuelta y volvió pedaleando, sin manos, como siempre solía hacerlo cuando éramos niños. Estaba a punto de pararse sobre el asiento cuando su mamá apareció en la esquina y nos mostró de lejos un periódico. Estaba riendo.

—Tienen que ver esto —dijo, y nos llevó a la cocina, donde abrió el periódico sobre la mesa.

—¡Dios mío! —exclamé, al ver la primera plana.

"Señoritas locales se divierten por la noche", decía el titular debajo de una gran foto en colores de todas las chicas en la despedida de soltera de Jen, en diversos estados de desaliño, y de Zoom, Mac, Ollie y Jamie en ropa interior. Era graciosísima, y todo el mundo parecía estar pasándola de película.

Debajo de la foto, el Sr. Gibbs había escrito un artículo muy mordaz acerca de las chicas modernas que salen a emborracharse a edades cada vez más tempranas, lo cual era injusto porque Lia, Becca y yo sólo habíamos bebido *Coca*.

—Pero no fue así —protesté—. No estábamos borrachas, y era una despedida de soltera.

—Sí —concordó Zoom—. Nadie terminó vomitando en la acera ni nada de eso.

La señora Squires agitó la mano restándole importancia al asunto.

—No se preocupen por el viejo John Gibbs. Se cree muy listo atacando a todo el mundo. Es un típico periodista. De cualquier cosa hace una nota.

Espero que esto no pase a mayores, pensé. *Mis profesores y todo el mundo en el pueblo verán ese periódico. Espero que no piensen que durante las vacaciones nos convertimos en unas libertinas.*

La señora Squires habrá visto mi cara de preocupación.

—No te preocupes, Cat, querida. Todo el mundo sabe que no eres una libertina.

Traté de convencerme de que ella tenía razón, pero cuando Becca y yo atravesamos el pueblo de regreso, un grupo de amigos de Luke y Joe estaban frente al puesto de periódicos y, al vernos, empezaron a hacerse los borrachos.

—No les hagas caso —me dijo Becca.

Luego nos vio la Sra. McNelly, de la oficina de correos, y simuló estar bebiendo de una botella y caminar tambaleándose.

—Muy graciosa —dije, intentando sonreír.

Pero no terminó allí. Parecía que todo el mundo había visto ya el periódico. La señora de la licorería nos hizo señas desde la vidriera cuando pasamos y señaló una pila de latas de cerveza. Las mujeres de la panadería rieron al vernos y se pusieron a bailar la conga en el local.

Cuando nos acercábamos a casa, un *Mercedes* deportivo azul plateado pasó y se detuvo delante de nosotras.

—Será alguien que quiere pedirnos un autógrafo —dijo Becca—, ya que ahora somos las libertinas abstemias más famosas del país.

Una mujer deslumbrante, rubia, de mediana edad, bajó del auto y se acercó a nosotras. Era la Sra. Axford.

—Hola, chicas —nos saludó.

—Hola, Sra. Axford —le respondimos a coro.

—Oye, Cat, Lia me contó tu problema con respecto a la boda de Jen —dijo—, y me encantaría poder ayudar. Hay una empresa de Londres que yo uso y están acostumbrados a los pedidos de último momento. Ya hablé con ellos y pueden enviarnos una tienda. Una de esas tipo árabes, rojas y doradas. Con capacidad para unas cien personas. ¿Te sirve?

—Cielos, sí, sería perfecto. ¿Sabe cómo es de grande exactamente? Nuestro jardín no tiene tanto espacio.

La Sra. Axford me dirigió su sonrisa de varios megawatts.

—¿Y si la ponemos en la playa, en el fondo de nuestro jardín? Ya sabes, donde Lia hizo aquella barbacoa marroquí para Zoom. ¿Crees que a tu papá y Jen les gustaría? Sería muy romántico a la puesta del sol, y hay mucho lugar para que los invitados estacionen sus autos.

Sentí como si acabara de ganar la lotería o algo así. De pronto, todo estaba solucionándose.

—¿Que si les gustaría? ¡Les *encantaría*! —respondí—. Muchísimas gracias.

–Es un placer. Está arreglado, entonces –dijo la Sra. Axford, y volvió a su auto–. Pídele a Jen que me llame para ultimar detalles.

–Qué día –le dije a Becca mientras el *Mercedes* volvía a ponerse en marcha y se alejaba–. Mi habitación: resuelta. El lugar para la boda: resuelto. El miedo de Zoom a volver a subirse a la bici: resuelto. Es asombroso, ¿no?, cómo pueden cambiar las cosas. Un día, todo parece imposible, y luego todo puede darse vuelta así como así y resultar mejor de lo que habías imaginado.

–*Nil desperandum* –respondió Becca–. Creo que eso significa: *nunca te rindas* o *nunca desesperes*, o algo así, pues nunca se sabe lo que te espera a la vuelta de la esquina.

En ese momento, una camioneta blanca dobló la curva. Vimos que el hombre que iba en el asiento del acompañante iba leyendo el periódico local. Le echó un vistazo, luego a nosotras, luego una vez más al periódico, y saludó por la ventanilla.

–¿Todo bien, queridas? –nos gritó.

Le sonreí.

–De hecho, sí –le respondí–. ¡Todo excelente!

14
El gran día

Era la mañana del día de la boda y en la casa reinaba un extraño silencio, por ser el Gran Día.

La mamá de Zoom estaba arriba, peinando a Jen.

Emma estaba al lado, en su cuarto, con la mejor amiga de Jen, Carole, que se estaba pintando las uñas de los pies.

Papá había salido temprano para cambiarse en la casa de su padrino de boda.

Joe y Luke ya se habían ido a la iglesia en Rame Head, donde harían de acomodadores. Estaban muy lindos antes de salir, con sus trajes de color azul marino, el pelo bien peinado y los rostros radiantes.

Yo estaba lista desde hacía más de media hora.

Vestida.

Maquillada.

Peinada.

Sentada en mi cama.

Silencio. Silencio. Silencio.

Me puse de pie y miré por la ventana por si el auto llegaba temprano, y de pronto mis nervios previos a la boda fueron reemplazados por una abrumadora angustia. Me encontré respirando hondo, como si estuviera ocurriendo algo que me costaba asimilar. Había llegado el momento. Desde hoy, la Sra. Kennedy, la esposa de papá, sería Jen. Ya no mi mamá. Mi señora Kennedy estaba muerta. Se había ido. Y eso me provocaba una tristeza desesperante. Es extraño. Muchas veces pensé que había llegado a aceptar su muerte. A aceptar que nunca volvería a verla ni a oírla... y de pronto, como un tigre que salta inesperadamente de entre los arbustos, me invadía el dolor y me paraliza la irrevocabilidad de todo eso. Del hecho de que nunca volvería a oír su voz. A ver su cara. Su sonrisa. De que no regresaría. ¿Cómo es posible que alguien esté un día, y al siguiente, ya no esté? ¿Adónde va?

Necesitaba verla. Sentir algo suyo. Entonces saqué el baúl.

Mientras miraba las fotos, alguien llamó a la puerta. *No voy a esconderlas*, pensé; *no voy a fingir que no estaba mirándolas, sea quien sea.* Ella era mi mamá y parte de esta familia, aunque no se note mucho. Un par de días atrás, por fin había mostrado el contenido del baúl a Luke, Joe y Emma. Yo había pensado que sería algo muy importante para ellos, pero Emma miró aquellas cosas como miraba sus revistas de historietas. Interesada al principio, pero enseguida fue como si dijera: ¿y qué? Fotos viejas. Podrían ser de cualquiera. Una extraña. Creo que ella no comprendió en absoluto la importancia que tenían. *Quizá lo haga más adelante*, pensé. Cuando sea mayor. Joe tampoco parecía muy interesado. Les echó un vistazo, luego se encogió de hombros y volvió a jugar con su computadora. Él tenía tres años cuando murió mamá. ¿La recordaría? Sólo Luke se quedó mirándolas. Se lo veía triste. Él tenía cinco años al morir mamá. Menos de los que tiene Emma ahora, pero lo suficiente para tener algunos recuerdos. "Ojalá pudiera recordar más", fue todo lo que dijo antes de dejarme sola otra vez con las reliquias de ella.

Levanté la vista de las fotos cuando se abrió la puerta. Era Jen.

—Hola —dijo, y entró en puntas de pie. Aún tenía puesta su bata, pero ya estaba peinada y maquillada.

—Te ves fabulosa —le dije—. Pero ese vestido de boda no me gusta.

Rió y dio una vueltita.

—Sería gracioso, ¿no? ¿Que apareciera así? Sí, vayamos todos en pijamas. Dios, qué nerrrrrrrvios. —Echó un vistazo a las fotos y, al darse cuenta de lo que yo había estado haciendo, vino a sentarse a mi lado en la cama–. Mirando las fotos de tu mamá, ¿eh?

Asentí.

–Estaba pensando que, desde hoy, la señora Kennedy serás tú.

Puso su mano sobre la mía.

–Yo seré *Jennifer* Kennedy. Tu mamá siempre será *Laura* Kennedy. De hecho, Cat... estuve pensando en esas cosas que encontraste –dijo–, y tengo una sugerencia. En lugar de dejarlo todo en ese baúl debajo de tu cama, ¿por qué no haces algo con todo eso...?

–¿Hacer algo? ¿Como qué?

Contuve el aliento. Por un momento, imaginé que iba a pedirme que me deshiciera de todo o que me daría un sermón acerca de dejar atrás el pasado.

–Puedes hacer una especie de diario o de álbum –sugirió Jen–. Un libro sobre la vida de tu mamá, como homenaje a ella. Podrías poner ejemplos de su trabajo, sus fotos, tal vez incluso testimonios de personas que la conocieron. Ponerte en contacto con sus parientes y amigos. Pedirles anécdotas. Escríbelas. Pídeles fotos que tú no hayas visto. Y luego enmarca las que más te gusten para poner en la casa. Puedes ponerlas donde quieras.

Solté el aliento que había estado conteniendo y, al principio, no respondí nada. Me pareció una idea brillante, y mi mente empezó a acelerarse pensando qué foto pondría en la portada. En cómo lo diseñaría. Podía pedirle ayuda a TJ, que dirige la revista de su escuela en Londres y sabe sobre diseño gráfico y esas cosas. Zoom podría ayudarme a tomar fotos de los lugares preferidos de mamá por aquí. Sí. Qué idea fabulosa. Sería el libro más bello de todos. Yo sabía que, más adelante en sus vidas, Emma, Joe y Luke sí querrían saber más sobre mamá. Sería fantástico tenerlo todo allí y no guardado, olvidado, sin importancia, juntando polvo. Ella era parte de la vida de todos nosotros y merecía ser reconocida por ello.

Jen puso cara de preocupación.

—Dios mío, ¿lo hice otra vez? —preguntó—. ¿Me pasé de la raya?

Me volví hacia ella y la abracé.

—No. *Nooooo*. Jen, es la *mejor* idea que haya oído jamás. Muchísimas gracias. Me encanta.

Jen quedó encantada con mi reacción y, por un momento, vi que sus ojos se humedecieron con lágrimas. *Así sería todo el día*, pensé, y en ese momento supe que realmente todos estábamos empezando un buen capítulo nuevo en nuestra vida.

—¿Estás lista? —le pregunté, enjugándome las lágrimas.

Jen respiró hondo y asintió.

—Sí. No. Casi.

—¿Cómo te sientes?

Jen soltó otro largo suspiro.

—Aaahhhhhhhhhhh. Asustada. Nerviosa. Petrificada. Feliz. Lista. Casi. Dios mío...

Me levanté y puse las manos en las caderas.

—¡Lo que falta aquí es música! —declaré—. Esta casa está demasiado silenciosa para ser el día de la boda.

Corrí abajo y busqué un CD entre la colección de clásicos de los años sesenta de papá. Puse la pista que quería y subí el volumen. De los altavoces, salió el sonido de *Chapel of Love*, de los Dixie Cups: *"Vamos a la capilla, vamos a casarnos. Cielos, cuánto lo amo, vamos a casarnos. Vamos a la capilla del amor"*.

De pronto hubo una conmoción en el vestíbulo y fui a ver qué pasaba. Emma, Carole y la mamá de Zoom habían aparecido en el pasillo, cada una con un cepillo para el cabello en la mano a modo de micrófono. Siguiendo a la Sra. Squires, empezaron una rutina de baile, dando un par de pasos a la izquierda y luego a la derecha, como si hubieran pasado semanas ensayando. Formaban un grupo graciosísimo: la diminuta Emma con su atuendo de hada (que ya había vuelto de la tintorería y otra vez estaba inmaculado), Carole con su pelo rubio aún con rizadores, y la Sra. Squires con su uniforme de peluquera. Pero iban a izquierda y derecha en perfecta armonía, agitando los brazos en el aire al ritmo de la canción. Jen y yo las aplaudimos, y fuimos subiendo y bajando la escalera, bailando, y luego por el vestíbulo, cantando a voz en cuello: *Vamos a la capilla del AMOOOOOOOOOOR.*

Afuera, sonó una bocina que anunciaba la llegada del auto nupcial.

–¡Dios mío, y ni siquiera estoy vestida! –exclamó Jen, y fue como si alguien hubiese apretado la tecla de avance rápido en un DVD, y todas nos dimos prisa para terminar los preparativos. Jen fue a ponerse el vestido; Carole, a quitarse los rizadores, y yo me apliqué una última capa de brillo labial y un toque de mi perfume *Lacoste Touch of Pink.*

Iba a ser un gran día.

–Aquí viene, aquí viene –anunció Luke, y entró corriendo a la iglesia cuando la limusina se detuvo frente a ella, en el camino a Rame Head.

Jen bajó del auto y un par de invitados que llegaban tarde se detuvieron para mirarla y exclamar: "¡Ahhhh!".

Estaba bellísima. Radiante, elegante e inmaculada. Me sonrió, nerviosa, cuando atravesamos el pequeño portón, y avanzamos por el sendero hasta la iglesia. Una vez ante la puerta, nos detuvimos, todos respiramos hondo, y Luke y Joe, sonrientes, abrieron las puertas.

Había llegado la hora.

Al entrar, comenzó de inmediato la música de la canción *The Rose*, de Bette Midler. Papá estaba de pie junto al altar y se volvió; cuando vi la expresión que puso al ver a Jen, por tercera vez ese día tuve que contener las lágrimas. Los bancos estaban llenos de caras conocidas y, mientras avanzábamos hacia el altar, todo el mundo nos miraba con amplias sonrisas. Era asombroso. Como caminar entre oleadas de amor que llegaban hasta nosotras. Yo nunca había experimentado una cosa así, y sentí que en mi cara se formaba una enorme sonrisa. Allí estaba casi todo el pueblo, todos vestidos con sus mejores ropas. Hasta el Sr. Miserable Gibbs, del periódico local, estaba allí, mirando con ojos húmedos. Papá era un integrante muy popular de la comunidad, como lo había sido también mamá, y parecía que todos se alegraban de volver a verlo feliz después de su pérdida. Del lado de la novia, estaban la familia de Jen y todas sus amigas de la despedida de soltera, y algunos más. Casi todos parecían indecisos entre la sonrisa y el llanto.

Del lado de papá, estaban la gente del pueblo, algunos primos y tíos, mis nuevas amigas de Londres, que parecían salidas de una revista: Nesta, TJ, Lucy, y a su lado, los Axford y Jamie, que no la miraba a Jen sino a mí. Cerca del altar, Zoom estaba filmando la llegada de la novia, y Mac, a su lado, tomaba fotos de los invitados con la cámara digital. Y a la derecha, con un micrófono, Izzie y Becca cantaban *The Rose*.

Era un momento perfecto. Eché un vistazo a papá y por un momento nos miramos. Se lo veía tan joven y esperanzado, y pensé: *ojalá sea feliz con Jen*. Él merece una segunda oportunidad. Me sonrió y me saludó con la cabeza antes de volverse hacia el altar y hacia el sacerdote, que empezó a hablar.

–Queridos hermanos, estamos aquí reunidos…

Queridos. Levanté la vista hacia el altar y me pregunté si mamá estaría en algún lugar, mirándonos. Hay tantas cosas que no sabemos, pensé, tanto que no entendemos, pero pase lo que pase, una parte de ella siempre vivirá en mí y en mis recuerdos de ella, y siempre voy a atesorarlos. Sí, ella se ha ido, pero siempre estará aquí como una parte importante de mi pasado. Los primeros capítulos de mi vida. Mientras tanto, sigo aquí. Seguimos aquí. Papá, Luke, Emma, Joe, y ahora Jen. Mi familia. Eché un vistazo hacia los bancos, donde estaban sentados mis queridos amigos, todos juntos: Becca, Lia, Mac y Zoom, Jamie, Lucy, TJ, Izzie y Nesta. Todos vieron que los miraba, me sonrieron e Izzie me hizo una seña con el pulgar levantado.

Han pasado tantas cosas en estas vacaciones, pensé. Tantos cambios. Casa nueva. Madrastra nueva. Amigos nuevos. Estamos a fines de agosto. Una semana más y volveremos a la escuela. Empezaré el décimo año y, con suerte, me esperan muchos buenos momentos. Sé que a veces mi vida seguirá pareciéndome un paseo en la montaña rusa, pero está bien, porque así parecen ser las cosas, por lo que veo. Arriba, abajo, damos vueltas y más vueltas a través de los cambios.

Mientras el sacerdote continuaba, y papá y Jen estaban frente a frente pronunciando sus votos, sentí que empezaba a subir dentro de mí una oleada de felicidad. Sí, vendrían buenos tiempos. Lo presentía. El pasado ya se fue, el futuro es incierto, pero el momento presente es real... y aquí estamos en él, los seres queridos, todos los amigos juntos.

Sobre Cathy Hopkins

Cathy Hopkins vive en el norte de Londres con su apuesto esposo y cuatro gatos: Molly, Maisie, Emmylou y Otis. Pasa la mayor parte del tiempo encerrada en un cobertizo al pie del jardín, simulando escribir libros, pero en realidad lo que hace es escuchar música, bailar a lo hippie y charlar con sus amigos por correo electrónico.

De vez en cuando, la acompaña Molly, la gata que se cree correctora de textos, a la que le gusta caminar sobre el teclado, corrigiendo y borrando las palabras que no le agradan.

A Maisie, la segunda gata, le preocupaba que Cathy hubiera olvidado cómo es ser adolescente, de modo que se esfuerza por recordárselo. Y lo hace muy bien. No presta atención a nadie; sólo va a comer y dormir, y cada tanto emite un cansino "Miwhhf" (que significa "qué me importa" en lengua gatuna).

Emmylou y Otis son nuevos en la casa. Hasta ahora, están tan locos como las dos mayores. Su juego preferido consiste en correr de un extremo de la casa al otro a la mayor velocidad posible, y luego ver si pueden volar saltando desde los muebles altos. Por lo general, esto sucede alrededor de las tres de la mañana y aterrizan sobre cualquiera que esté durmiendo a esa hora.

Además de eso, Cathy se ha anotado en el gimnasio y pasa más tiempo del que le conviene inventando excusas para no tener que ir.

Índice

¡Tu opinión es importante!

Escríbenos un e-mail a **miopinion@libroregalo.com**
con el título de este libro en el "Asunto".